Comment faire un plan de marketing stratégique

Les Éditions Transcontinental inc.
1253, rue de Condé
Montréal (Québec)   H3K 2E4

Tél. : (514) 925-4993
      (888) 933-9884

Internet : www.logique.com

Fondation de l'Entrepreneurship
160, 76e Rue Est, bureau 250
Charlesbourg (Québec)   G1H 7H6

Tél. : (418) 646-1994
      (800) 661-2160

Internet : www.entrepreneurship.qc.ca

La collection *Entreprendre* est une initiative conjointe de la Fondation de l'Entrepreneurship et des Éditions Transcontinental inc. afin de répondre aux besoins des futurs et des nouveaux entrepreneurs.

Données de catalogage avant publication (Canada)
Filiatrault, Pierre, 1940-
Comment faire un plan de marketing stratégique
(Entreprendre)
Publié en collaboration avec : la Fondation de l'entrepreneurship.
ISBN 2-89472-059-9

1. Marketing - Planification. 2. Marketing - Gestion. 3. Études de marché.
4. Produits commerciaux - Gestion I. Fondation de l'entrepreneurship. II. Titre.
III. Collection : Entreprendre (Montréal, Québec).

HF5415.15.F54 1997   658.8'02   C97-941339-7

Révision et correction :
Louise Dufour, Lyne M. Roy

Mise en pages et conception de la page couverture :
Studio Andrée Robillard

© Les Éditions Transcontinental inc., et
Fondation de l'Entrepreneurship, 1997

Dépôt légal — 4e trimestre 1997
Bibliothèque nationale du Québec
Bibliothèque nationale du Canada

ISBN 2-89472-059-9 (Les Éditions)
ISBN 2-921681-76-5 (La Fondation)

Les Éditions Transcontinental remercient le ministère du Patrimoine canadien et la Société de développement des entreprises culturelles de participer à leur programme d'édition.

PIERRE FILIATRAULT

Comment faire un plan de marketing stratégique

Les Éditions
TRANSCONTINENTAL inc.

Fondation de
l'Entrepreneurship

Note de l'éditeur

Indépendamment du genre grammatical, les appellations qui s'appliquent à des personnes visent autant les femmes que les hommes. L'emploi du masculin a donc pour seul but de faciliter la lecture de ce livre.

Ce livre est dédié à Colette,
à Marc et à Anny

Remerciements

Je remercie bien sincèrement toutes les personnes qui m'ont aidé dans la préparation de cet ouvrage, et en premier lieu mes collègues de marketing de l'École des sciences de la gestion de l'Université du Québec à Montréal. Je remercie aussi Francine Beauchamp pour son soutien en secrétariat.

J'exprime toute ma gratitude à Monique Dubuc et à la Fondation de l'Entrepreneurship, de même qu'à Sylvain Bédard des Éditions Transcontinental inc. pour les multiples suggestions et conseils qui ont permis de conjuguer la nécessité de transmettre des connaissances et le pragmatisme des entrepreneurs.

Enfin, un gros merci à mon épouse Colette qui a toujours su me soutenir et m'encourager dans mes nombreux projets.

Pierre Filiatrault
École des sciences de la gestion
Université du Québec à Montréal

Avant-propos

Pourquoi certains entrepreneurs réussissent-ils mieux que d'autres lorsqu'il est question de promouvoir leurs produits et leurs services? Bien des gens pensent encore que la capacité de l'entrepreneur à bien comprendre son environnement y est pour quelque chose. Et ils ont raison.

Toutefois, avec la complexité toujours croissante et l'élargissement des marchés, on note que, pour réussir, les entrepreneurs ont recours à d'autres outils qu'à leur seule intuition. Bon nombre d'entre eux ont besoin d'être entourés de spécialistes en marketing et d'avoir accès à des réseaux d'affaires plus grands pour tirer leur épingle du jeu. Dans un tel contexte, il y a de moins en moins de place à l'improvisation, surtout lorsqu'on doit gérer une équipe de vente dans un environnement compétitif.

C'est pourquoi la Fondation de l'Entrepreneurship est fière de vous proposer le livre *Comment faire un plan de marketing stratégique*. Cet ouvrage aidera l'entrepreneur à déterminer la direction qu'il souhaite donner à son entreprise, à définir des objectifs réalisables et à élaborer des stratégies payantes... dans tous les sens du terme! En mettant en application l'approche particulière de Pierre Filiatrault, nous sommes persuadés que tout entrepreneur saura gérer de meilleure façon les différents aspects de la «fonction marketing» et ainsi de mieux faire face aux nombreux défis qui l'attendent.

Bonne lecture!

Denis Robichaud
Fondation de l'Entrepreneurship

Fondation de l'Entrepreneurship

La Fondation de l'Entrepreneurship œuvre au développement économique et social en préconisant la multiplication d'entreprises capables de créer des emplois et de favoriser la richesse collective.

Elle cherche à dépister les personnes douées pour entreprendre et encourage les entrepreneurs à progresser en facilitant leur formation par la production d'ouvrages, la tenue de colloques ou de concours.

Son action s'étend à toutes les sphères de la société de façon à promouvoir un environnement favorable à la création et à l'expansion des entreprises.

La Fondation peut s'acquitter de sa mission grâce à l'expertise et au soutien financier de quelques organismes. Elle rend un hommage particulier à ses trois partenaires :

et remercie ses gouverneurs :

 CENTRE DE DÉVELOPPEMENT ÉCONOMIQUE ET URBAIN

Table des matières

DEUXIÈME PARTIE : L'ANALYSE DE LA SITUATION

TROISIÈME PARTIE : LES STRATÉGIES DE MARKETING

Introduction

Les gens d'affaires le savent bien, les clients, c'est important : pas de clients, pas d'entreprise. La satisfaction des clients actuels, la recherche de nouveaux clients, l'adaptation des produits et services aux besoins changeants des marchés, l'innovation, les réactions à la concurrence croissante, l'établissement de réseaux sont autant de sujets qui justifient le rôle essentiel du marketing. Le marketing est une fonction stratégique de l'entreprise, peu importe sa taille. Ce livre s'adresse à tous ceux que le marketing intéresse, tant dans les entreprises manufacturières que dans les entreprises de services, petites ou grandes.

Un marketing efficace exige la planification des activités. Il faut d'abord analyser l'environnement, puis fixer des objectifs, choisir des marchés cibles et enfin déterminer des stratégies. Il faut également mettre ces dernières en œuvre et en contrôler l'exécution et les résultats. Ce livre expose la démarche que nécessite la réalisation d'un plan de marketing stratégique.

LE CONTENU

L'ouvrage est composé de quatre parties. La première partie explique la nature du marketing et le processus de la planification du marketing. La deuxième partie du livre est consacrée à l'analyse de la situation, tandis que la troisième traite de stratégies. Enfin, la dernière partie concerne la préparation du plan de marketing et son exécution.

Le chapitre 1 définit la nature du marketing, fait un bref historique de ce dernier et présente ses principaux domaines d'activité. On trouvera, en annexe, deux tests qui permettent aux lecteurs de mesurer leurs connaissances générales en marketing et la place du marketing dans leur entreprise. Le chapitre 2 explique le processus de la planification du marketing. Les chapitres suivants sont consacrés à l'analyse de l'environnement de l'entreprise. Le chapitre 3 traite de l'analyse interne de l'entreprise : ses résultats, son choix de stratégies, son management, et ses forces et faiblesses. Le chapitre 4 se penche sur l'analyse de l'environnement externe de l'entreprise, à savoir le macro-environnement, les clients, les concurrents, les marchés, les occasions d'affaires et les menaces, ainsi que les enjeux.

Les chapitres 5 et 6 sont consacrés aux stratégies de marketing : le chapitre 5 expose celles qui donnent la direction générale que l'entreprise prendra pour atteindre ses objectifs, soit les stratégies fondamentales ; le chapitre 6 présente les stratégies traditionnelles, connues sous le nom de mix de marketing. Le chapitre 7 expose la partie la plus dynamique de la planification : la mission et les objectifs de l'entreprise ainsi que la création des stratégies. Finalement, le chapitre 8, très opérationnel, traite de l'organisation, de la mise en œuvre et du contrôle du plan de marketing.

PREMIÈRE PARTIE

LA PLANIFICATION
DU MARKETING

Dans la première partie du livre, nous expliquons en quoi consiste le marketing. Nous vous proposons deux tests qui vous permettront de mesurer vos connaissances en marketing et surtout d'évaluer la place que le marketing occupe dans votre entreprise. Nous vous présentons aussi en quoi consiste le processus de la planification du marketing.

Le marketing, c'est quoi ?

1.1 LA VÉRITABLE NATURE DU MARKETING

Le marketing consiste à gérer des échanges entre une entreprise et ses clients. Faire du marketing, c'est savoir reconnaître et comprendre les changements dans les marchés, adapter les produits et les services de l'entreprise en conséquence, offrir la meilleure qualité possible de produits et de services, et assurer la satisfaction de la clientèle. Tout cela afin de permettre à l'entreprise d'atteindre ses objectifs de rentabilité et de survie. Il y a quatre façons de voir le marketing.

Le marketing est tout d'abord une façon de faire des affaires. C'est une **philosophie de gestion** selon laquelle l'entreprise devrait être guidée par ses clients et les marchés. Sous cette optique, le succès de l'entreprise dépend de sa capacité et de son habileté à répondre aux besoins des clients de façon rentable. De plus en plus, de nos jours, on parle même de marketing relationnel, c'est-à-dire d'une concentration des efforts vers les clients actuels les plus importants, les plus dynamiques et les plus rentables. Le client est donc d'une importance fondamentale pour l'entreprise.

Le marketing est une **fonction** de l'entreprise. La fonction du marketing consiste en la reconnaissance et en la satisfaction des besoins de la clientèle, ainsi qu'en la gestion des échanges et des relations avec les clients. Cette fonction peut relever d'un service, d'un département ou d'un individu. Dans les PME, cette fonction est souvent la responsabilité du pdg. Toutefois, dans l'entreprise qui se veut orientée vers le marché, le marketing devrait être la responsabilité de tous les employés.

Le marketing est aussi une **démarche** qui consiste en la planification, l'organisation, la mise en œuvre et le contrôle des activités de marketing. Un élément important de cette démarche est la préparation d'un plan de marketing dont une composante est l'analyse de la situation de l'entreprise, soit l'analyse de son environnement interne et externe. Un autre aspect important de la démarche consiste à définir clairement l'orientation de l'entreprise et à choisir les stratégies appropriées à cette orientation. Mais cela n'est pas suffisant, il faut également concrétiser le plan et assurer l'organisation et la mise en œuvre des activités de marketing que l'on a planifiées. Enfin, il faut exercer un contrôle sur les activités de marketing, pour s'assurer que les objectifs ont été atteints.

Le marketing est également un **ensemble de pratiques de gestion**. Faire du marketing implique la réalisation de recherches et d'études de marché, le développement et le lancement de nouveaux produits et services, la détermination des prix, la diffusion de l'offre (publicité, promotion des ventes, publipostage, etc.) et la gestion des ressources humaines, en particulier celles qui sont en contact avec les clients (représentants, préposés au service à la clientèle, etc.).

1.2 COMMENT A ÉVOLUÉ LE MARKETING

Il ne fait plus de doute aujourd'hui que l'orientation des activités de marketing vers la clientèle est fondamentale. Toutefois, ce ne fut pas toujours le cas, et ce n'est pas toujours le cas dans nombre d'entreprises. En fait, quatre optiques prévalent à la conduite des activités de marketing dans les entreprises : l'optique de la production, l'optique du produit (ou du service), l'optique de la vente et l'optique du marketing.

L'optique de la **production** est la plus traditionnelle. Selon ce point de vue, les clients favorisent les produits les moins chers et les plus accessibles. La demande (ce que veut le client) excède alors l'offre (ce que l'entreprise veut vendre). On retrouve cette situation surtout dans les pays en voie de développement et dans les pays qui ont déjà été ou font encore partie du système communiste. L'entreprise vend tout ce qu'elle peut produire et mise sur l'amélioration des capacités de production et sur la productivité pour accroître le volume. On cherche à rendre les produits ou les services plus accessibles et à réduire les prix. La première préoccupation de l'entreprise est la production.

L'optique du **produit** (ou du **service**) intervient particulièrement lorsque les moyens de production ou d'exploitation de l'entreprise sont bien rodés. Selon cette façon de voir, on considère que le client préfère le produit ou le service qui offre la meilleure qualité ou la meilleure performance, lesquelles sont le plus souvent définies par les ingénieurs, les techniciens, les spécialistes de l'entreprise ou par ses dirigeants. Tous les efforts sont concentrés sur l'amélioration des produits et des services. Cette optique peut résulter en ce que l'on appelle de la myopie marketing, car on focalise tellement l'attention sur le produit ou sur le service qu'on en oublie les besoins des clients.

L'optique de la **vente** présuppose que le client n'achètera pas suffisamment s'il est laissé à lui-même. Les entreprises qui épousent cette orientation considèrent que leurs produits ou services sont destinés à être vendus, et non à être achetés. Ils croient que le client peut être poussé à acheter davantage s'ils y mettent suffisamment de pression. De nos jours, les clients, qu'ils soient des consommateurs, des professionnels ou des entreprises, n'apprécient guère cette approche qui présente par conséquent un certain risque : le client peut perdre confiance dans le vendeur ou l'entreprise qui force la vente.

Enfin, l'optique du **marketing** repose sur l'idée que la tâche primordiale de toute entreprise est de cerner les désirs et les besoins des marchés cibles et de les satisfaire grâce à une offre adaptée (conception, fabrication, distribution, communication) différente de celle des concurrents, et ce, en permettant à l'entreprise d'atteindre ses objectifs (survie, croissance, rentabilité, etc.) et en respectant ses obligations envers la société. Cette orientation présuppose une entreprise centrée sur le client et un marketing organisé qui mise sur de bonnes relations avec les clients et sur la valorisation du personnel en contact avec ces derniers. Faire du marketing consiste alors avant tout à **gérer les échanges** entre l'entreprise et ses clients.

Ce livre est conçu en fonction de cette dernière optique. L'entreprise qui veut connaître du succès doit être sensible aux changements qui surviennent dans son milieu, aussi appelé l'environnement, et dans les marchés. Elle doit préconiser une orientation marquée vers le client et doit s'assurer que ses activités de marketing sont bien conçues, réalisées, coordonnées, mises en œuvre et contrôlées en ce sens. Voyons maintenant les principaux domaines d'activité du marketing.

1.3 LES DOMAINES D'ACTIVITÉ DU MARKETING

Les entreprises peuvent offrir des produits ou des services soit à des consommateurs, soit à des organisations. On trouvera à la figure 1.1 la liste des domaines d'activité du marketing.

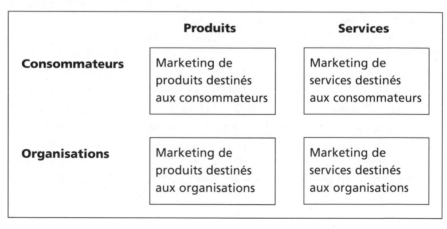

Figure 1.1 *Les domaines d'activité du marketing*

1.3.1 Les produits destinés aux consommateurs

Au début, le marketing était surtout l'apanage des fabricants de produits de consommation de masse destinés aux consommateurs. Les fabricants se concentraient surtout sur les produits et les circuits de distribution (grossistes, détaillants, agents au service des fabricants et autres). Puis est apparu le concept du mix de marketing, qui désigne les variables de marketing sous la dénomination des 4 P : Produit, Prix, Place (distribution) et Promotion (communication). Par la suite, le concept de marketing actuel, qui implique l'atteinte des objectifs de l'entreprise grâce à une orientation vers le client, est apparu.

Le marketing a beaucoup évolué depuis une décennie : les consommateurs achètent non seulement des produits, mais ils achètent de plus en plus de services. En outre, il faut considérer que non seulement les consommateurs mais également les organisations constituent la clientèle des entreprises.

1.3.2 Les services destinés aux consommateurs

Les services se distinguent des produits par certains traits caractéristiques : ils sont intangibles et sont produits et consommés en même temps ; de plus, les services sont hétérogènes, c'est-à-dire qu'ils peuvent difficilement être rendus de façon uniforme, leur prestation variant constamment. Par conséquent, le marketing de services est différent de celui des produits. Voyons chacune des caractéristiques propres aux services.

Un service est intangible, on ne peut y toucher. Il est difficile à présenter et à vendre pour le vendeur et difficile à évaluer pour le consommateur. Le risque perçu à l'achat paraît plus élevé pour le client, car il ne peut apprécier le service qu'après l'avoir utilisé : en conséquence, le bouche-à-oreille est important. Enfin, le consommateur évalue à la fois le service qu'il reçoit, la personne qui rend le service et l'entreprise elle-même.

Un service est produit et consommé en même temps. Il ne peut être stocké ou entreposé. Il faut donc gérer la capacité de production en fonction des pics et des creux qu'impose ponctuellement le marché. En outre, par la nature même d'un service, le consommateur intervient dans le processus de production, et le personnel qui effectue le service fait partie de l'offre. On ajoute donc un cinquième P au mix de marketing traditionnel : le personnel. C'est d'ailleurs le plus souvent par le service que le personnel donne au client que l'on peut différencier une entreprise de services d'une autre. Par exemple, dans l'ensemble, rien ne ressemble plus au service d'un transporteur aérien que celui d'un autre transporteur aérien ; c'est le service rendu par le personnel qui fait la différence. En conséquence, le marketing interne est un outil important pour une entreprise de services. Il consiste à former et à motiver les employés de sorte que leur travail soit orienté vers la satisfaction du client.

Un service est hétérogène. La prestation du service varie selon le client, le prestataire, le jour — et même l'heure du jour — auquel le service est donné, etc. Il est difficile de normaliser la prestation d'un service et, en conséquence, d'assurer la qualité des services. La gestion de la qualité des services est d'autant plus complexe que, d'une part, il faut uniformiser le mieux possible la prestation et l'industrialiser pour accroître la productivité et, d'autre part, il faut personnaliser le service et le différencier de la concurrence. Un restaurant, par exemple, se dotera d'une bonne réputation s'il offre des services uniformes (qualité du service constante), mais différents de ceux de ses concurrents. Ainsi, l'hétérogénéité des services est un autre facteur qui fait que l'utilisateur perçoit un risque à utiliser le service.

Les implications quant au marketing que représentent ces trois caractéristiques des services sont nombreuses. Le marketing de services est loin d'être facile. La gestion d'un service implique la gestion du « moment de vérité » entre le personnel et les clients. L'entreprise doit également compenser le fait que les services sont intangibles en mettant en évidence des éléments tangibles, comme que la décoration ou les symboles dans la publicité (par exemple, le rocher de Gibraltar dans la publicité de la Prudentielle ou le parapluie dans celle de la Travelers). Bien gérer un service exige aussi que l'on puisse faire face aux fluctuations de la demande, par l'embauche de personnel d'appoint, entre autres. L'entreprise doit également miser sur la formation du personnel, afin de diminuer la variabilité de la prestation sans nuire à la personnalisation du service, tout en maintenant la productivité. Il ressort de cela que la qualité des services est essentielle mais difficile à atteindre.

1.3.3 Les produits destinés aux organisations

Autrefois appelé le « marketing industriel », le marketing organisationnel (en référence à l'organisation) englobe à la fois la mise en marché de produits et de services destinés soit aux entreprises (industrielles ou de services), soit aux organisations gouvernementales, paragouvernementales ou à but non lucratif.

Le marketing organisationnel de produits comprend les matières premières, les produits manufacturés, les pièces et accessoires, les équipements auxiliaires et les fournitures. Le marketing organisationnel s'applique aux entreprises qui acquièrent des biens ou des services en vue de produire d'autres biens ou services. Ce marché représente un volume d'affaires fort important.

La mise en marché de produits destinés aux entreprises et aux commerces diffère de la mise en marché de produits destinés aux consommateurs. La demande pour les produits destinés aux organisations dépend de la demande des produits et services sur les marchés des consommateurs (on dit qu'elle est dérivée), et elle fluctue. Les acheteurs sont moins nombreux, mais ils sont plus importants et sont souvent concentrés géographiquement. De plus, les prix sont fréquemment fixés sur une base contractuelle pour une période donnée.

Toutefois, la caractéristique la plus importante est sans doute le mode d'achat. Les achats sont faits par des gens avertis, des professionnels, qui travaillent souvent en groupe, qu'on appelle le groupe de décision. Ce groupe est composé d'utilisateurs, de personnes influentes, de décideurs et d'autres intervenants. Le spécialiste du marketing organisationnel doit connaître, pour chaque client, la taille et la composition de ce groupe qui variera selon qu'il s'agit d'un renouvellement d'achat, d'un réachat modifié ou d'un nouvel achat. Il doit aussi connaître les étapes du processus d'achat et les types de commandes et de contrats. En résumé, le marché organisationnel est passablement spécialisé, complexe et raffiné, exigeant des gens de marketing de grandes compétences.

1.3.4 Les services destinés aux organisations

Les services aux organisations ont connu une grande croissance au cours des deux dernières décennies. Il y a deux types de services aux organisations : les services commerciaux et les services professionnels. Les services commerciaux comprennent les services d'entretien, de réparation, de sécurité, etc. Les services professionnels sont aussi fort variés : on pensera, entre autres, aux services d'experts-comptables, de fiscalistes, d'avocats, d'informaticiens, de publicitaires, etc. Le marketing de services aux organisations est relativement complexe, particulièrement celui qui a trait aux services professionnels. On y retrouve à la fois les caractéristiques des services (intangibilité, simultanéité et hétérogénéité), et les caractéristiques de marketing organisationnel (demande dérivée, groupe de décision, complexité du processus d'achat).

Le spécialiste du marketing des services aux organisations doit offrir des services de qualité qui répondent aux besoins des clients et qui se différencient de la concurrence. Il doit posséder une excellente capacité d'adaptation et de récupération lorsque des correctifs doivent être apportés. Il mise principalement sur la compétence de son organisation, car les acheteurs organisationnels sont exigeants sur ce plan.

1.4 LE MARKETING DE PRODUITS ET DE SERVICES

Il y a de moins en moins de produits qui ne sont que des produits physiques, et de moins en moins de services qui ne sont que des services purs. De nombreux produits s'accompagnent de services complémentaires. On ne vend plus d'huile à chauffage, mais du confort au foyer. On offre le service avant-vente et après-vente. On offre des services d'entretien et de réparation. On offre des garanties sur les produits, et de plus en plus sur les services. Les services ne sont pas désincarnés : lorsque les clients évaluent un service, ils considèrent non seulement la prestation, mais aussi le décor du bureau, la tenue du personnel et la présentation des rapports.

CONCLUSION

Dans ce chapitre, nous avons voulu vous sensibiliser à ce qu'est le marketing. Nous avons vu que le marketing est avant tout une philosophie de gestion. Il est également une fonction de l'entreprise, une démarche, et un ensemble de pratiques de gestion. Nous avons démontré que l'évolution du marketing était marquée par l'adoption de diverses optiques, l'optique marketing étant la plus souhaitable. Cette optique favorise l'atteinte des objectifs de l'entreprise grâce à une orientation vers la clientèle ; en effet, l'entreprise mise sur la gestion des échanges avec sa clientèle. Finalement, nous avons présenté les différents domaines d'activité du marketing.

Ce livre s'adresse aux « marketers » de PME, que celles-ci offrent des produits ou qu'elles offrent avant tout des services destinés à des consommateurs ou à des organisations. Bien que la gestion du marketing d'une entreprise soit difficile, le marketing demeure une fonction essentielle de votre entreprise. Le prochain chapitre traitera de la planification du marketing. Mais auparavant, nous vous invitons à mesurer, dans un premier temps, vos connaissances en marketing et, dans un deuxième temps, à évaluer la place qu'occupe le marketing dans votre entreprise. Nous vous proposons en annexes 1 et 2, dans les pages qui suivent, deux tests dont vous trouverez les réponses en annexe 3.

TEST 1

VOS CONNAISSANCES EN MARKETING

Le premier test vise à mesurer vos connaissances générales en marketing.

Répondez par vrai ou faux aux questions suivantes en encerclant le V (vrai) ou le F (faux).

1. Le marketing, c'est beaucoup plus que la publicité et la vente. ✓   (V)   F

2. Le marketing de services est une activité plus importante que le marketing de produits. ✓   V   (F)

3. Dans le contexte économique actuel, il est plus important de trouver de nouveaux clients que de conserver la clientèle actuelle. F   V   (F)

4. Le marketing est la base de l'orientation stratégique d'une entreprise. v   (V)   F

5. La recherche en marketing, c'est surtout l'affaire de la grande entreprise. F   V   (F)

6. La planification du marketing à court terme est plus importante que celle à long terme. F   V   (F) ?

7. Pour avoir du succès, il faut imiter la concurrence. F   V   (F)

8. La stratégie de segmentation doit être fixée avant le ciblage des marchés. ✓   (V)   F

9. La segmentation se définit en fonction des différences entre les marchés et non entre les produits (ou les services). ✓   V   (F)

10. L'analyse de la concurrence est utile pour
définir des stratégies de différenciation. ✓   (V)   F

11. Le positionnement influence le mix de marketing. ✓   (V)   F

12. Le positionnement implique à la fois le marché,
les produits et services et la concurrence. ✓   V)   F

13. Il y a de moins en moins d'échecs lors du
lancement de nouveaux produits. F   V   (F)

14. Dans certains cas, le prix non monétaire
est plus important que le prix monétaire. ✓   V)   F

15. La qualité du produit est plus importante F
que sa valeur.   V   (F)

16. Une clientèle satisfaite à 100 % est la clé
de la rentabilité. F   V   (F)

17. Les plus gros clients sont les meilleurs clients. F   V   F

18. Dans un contexte de fragmentation de marchés,
le marketing direct est souvent plus efficace
que la publicité. ✓   V)   F

19. La meilleure façon de déterminer le budget
en marketing est sur la base du pourcentage
du chiffre d'affaires. F   (V)   (F)

20. Le contrôle du marketing est l'élément le plus
négligé du management de marketing. ✓   (V)   F

Vérifiez vos réponses à l'annexe 3 et calculez votre score.

TEST 2
LA PLACE DU MARKETING DANS VOTRE ENTREPRISE

Vous venez de faire un test qui mesure vos connaissances générales en marketing. Le deuxième test a pour but de vous faire prendre conscience de la place du marketing dans votre entreprise. Répondez le plus honnêtement possible. Ce test se veut un outil pour vous aider à mieux gérer le marketing dans votre entreprise.

Veuillez cocher selon que vous croyez que la réponse a), b), ou c) est la plus juste en ce qui concerne votre entreprise.

1. Quelle importance votre entreprise accorde-t-elle aux besoins du marché ?
    a) Nous nous efforçons de vendre nos produits ou services actuels et nouveaux à tous ceux qui sont intéressés.
    b) Nous nous efforçons de répondre à une grande gamme de besoins dans de nombreux marchés avec la plus grande efficacité possible.
    c) Nous nous efforçons de répondre à des besoins précis de marchés ciblés qui offrent un potentiel de croissance et de rentabilité.

2. Quand avez-vous fait votre dernière étude de marché (pour mieux connaître les besoins du marché, la satisfaction de la clientèle, l'offre de la concurrence, etc.) ?
    a) Il y a plusieurs années.
    b) Il y a deux ou trois ans.
    c) Durant la dernière année.

3. Votre entreprise fait-elle une analyse de son environnement ?
    a) Non, nous ne croyons pas que cela influence notre entreprise.
    b) Oui, nous analysons notre marché et la concurrence.
    c) Oui, nous faisons annuellement une analyse de l'environnement économique, démographique, géographique, technologique, etc., de même qu'une analyse de nos clients, de notre marché et de la concurrence.

4. Quelle forme prend votre plan de marketing ?
   a) Le plan de marketing est implicite ; nous planifions surtout à court terme selon les occasions d'affaires qui se présentent.
   b) Le plan de marketing est pensé à l'occasion du budget ; le plan se limite à des prévisions de ventes et à quelques notes dans le plan d'affaires.
   c) Nous rédigeons un plan de marketing où sont définis clairement les objectifs, les stratégies et tactiques, les échéanciers et les responsabilités.

5. Comment la mission de votre entreprise est-elle exprimée ?
   a) Nous n'avons pas de mission formelle.
   b) Nous avons une mission générale connue des gens de la direction.
   c) Nous avons une mission qui définit la raison d'être de l'entreprise ainsi que des indications sur ses orientations futures. La mission est connue de tous les employés.

6. Comment évaluez-vous vos stratégies fondamentales de marketing ?
   a) Elles ne sont pas clairement et explicitement définies ni harmonieuses.
   b) Elles sont claires et s'insèrent dans la prolongation logique du passé.
   c) Elles sont basées sur des données du marché ; elles sont claires et bien pensées.

7. Le potentiel des ventes et les ventes des divers segments de marché, clients, territoires, produits et services, etc., sont-ils connus ?
   a) Pas du tout.
   b) Un peu.
   c) En général, oui.

8. Comment la fonction marketing s'intègre-t-elle avec les autres fonctions de l'entreprise ?
   a) Il y a, à l'occasion, des conflits entre le marketing, la production et la finance.
   b) Les gens du marketing s'entendent assez bien avec ceux des autres fonctions, mais leurs intérêts priment sur ceux des autres fonctions.
   c) La fonction marketing est bien intégrée et les problèmes sont résolus dans le meilleur intérêt de l'entreprise.

9. Comment se fait la gestion des produits ou services dans votre entreprise ?
   a) Il n'y a pas de système ou de procédure de gestion des produits ou services.
   b) À l'occasion, nous évaluons les produits ou services dont les ventes ou la rentabilité sont faibles.
   c) Nous avons une procédure bien établie d'évaluation, de modification et d'abandon des produits ou services.

10. Comment se fait la gestion des prix dans votre entreprise ?
   a) Les prix sont ajustés à l'occasion selon nos coûts.
   b) Les prix sont ajustés à l'occasion en tenant compte des coûts et du marché.
   c) Les prix sont ajustés de façon régulière en tenant compte des coûts, du marché, de la valeur perçue et de la concurrence ; ils sont communiqués clairement aux employés, aux représentants et aux clients.

11. Comment se fait la gestion des circuits de distribution dans votre entreprise ?
   a) Nous nous préoccupons avant tout de vendre à nos clients.
   b) Nous évaluons à l'occasion nos circuits de distribution.
   c) Nous maintenons d'étroites relations avec les divers intervenants dans les circuits de distribution, tout en surveillant étroitement les menaces et les possibilités sur le marché.

12. Comment se fait la gestion de la communication dans votre entreprise ?
   a) La communication se limite à une liste de prix et à quelques brochures.
   b) Nous faisons quelques efforts de publicité et de relations publiques.
   c) Nous faisons un effort soutenu dans la communication intégrée (publicité, relations publiques, marketing direct et communications avec les employés).

13. Comment se fait la gestion des ventes dans votre entreprise ?
   a) La gestion des ventes se limite au suivi des résultats des ventes.
   b) Des objectifs de ventes sont fixés et des rencontres ont lieu assez régulièrement avec les vendeurs, les représentants ou les agents.
   c) Un système efficace de recrutement, de formation, de rémunération et de contrôle des ventes permet d'obtenir un effort optimal de la force de vente.

14. Comment se fait le service à la clientèle dans votre entreprise ?
   a) Lorsqu'il y a des plaintes, les appels sont acheminés à la personne responsable par la téléphoniste.
   b) Il y a un service à la clientèle qui prend les commandes, reçoit les plaintes, etc.
   c) Le service à la clientèle est non seulement la responsabilité d'un service, mais aussi celle de tous les employés qui sont conscients de la valeur du client pour l'entreprise.

15. Comment le plan de marketing est-il communiqué aux employés ?
   a) Nous ne faisons pas de plan ou nous en faisons un et ne le communiquons pas.
   b) Les grandes lignes du plan sont communiquées aux chefs de service.
   c) Tous les éléments essentiels sont communiqués à tous les membres du personnel qui ont un contact direct ou indirect avec la clientèle.

16. Comment le budget de marketing est-il fixé ?
   a) Le budget de marketing est surtout déterminé par le service des finances à l'occasion de la préparation du budget.
   b) Le budget de marketing est fixé par le service de marketing en utilisant le pourcentage des ventes et les budgets historiques.
   c) Le budget de marketing est fixé par le service de marketing en fonction des objectifs fixés et des tâches à accomplir.

17. Existe-t-il des politiques de marketing dans votre entreprise?
    a) Non.
    b) Il existe des politiques informelles.
    c) Oui, elles sont précises, concises et connues des employés qui ont néanmoins une certaine marge de manœuvre.

18. Exercez-vous un contrôle sur vos activités de marketing?
    a) Nous n'avons pas réellement de moyens de mesurer l'effet de nos efforts de marketing.
    b) Grâce au budget, nous faisons un suivi sur nos ventes et sur nos activités de marketing.
    c) Nous avons mis en place des systèmes qui permettent d'analyser les ventes et la rentabilité, d'évaluer l'atteinte des objectifs de marketing, de mesurer la satisfaction de la clientèle, de contrôler les principales dépenses de marketing et d'en mesurer l'effet.

19. De façon générale, quelle importance la direction de l'entreprise accorde-t-elle au marketing?
    a) Le minimum, la direction étant plus à l'aise dans le développement de produits ou services et dans la gestion de la production ou des opérations.
    b) Le marketing reçoit beaucoup d'attention, puisque les ventes en dépendent.
    c) Le marketing est le pivot de l'orientation stratégique de l'entreprise.

20. De façon générale, jusqu'à quel point le concept de marketing a-t-il été intégré dans la gestion de votre entreprise?
    a) Les principales préoccupations de l'entreprise sont les ventes et la production.
    b) L'importance du client est reconnue.
    c) Tous les employés reconnaissent que c'est par la satisfaction de la clientèle que les objectifs de l'entreprise seront atteints.

Vérifiez les réponses à l'annexe 3 et calculez votre score.

ANNEXE 3

L'ANALYSE DE VOS RÉPONSES

Les bonnes réponses au TEST 1 sur vos connaissances en marketing

1. V	6. F	11. V	16. F
2. V	7. F	12. V	17. F
3. F	8. V	13. F	18. V
4. V	9. V	14. V	19. F
5. F	10. V	15. F	20. V

Allouez-vous 5 points par bonne réponse, pour un total de 100 points.
Selon votre score, vous êtes :

90-100 Un expert	60-69 Un amateur
80-89 Un professionnel	50-59 Un profane
70-79 Un marketer typique	0-49 Une menace pour l'entreprise

Le score du TEST 2 sur la place du marketing dans votre entreprise

Le score peut être calculé de la façon suivante :
Pour chaque *a)* accordez 0, pour chaque *b)* 1 point et pour chaque *c)* 2 points.
Faites la somme, le total se situera entre 0 et 40. L'échelle suivante vous permettra d'évaluer la place du marketing dans votre entreprise.

0-5 = Nulle	21-25 = Plutôt bonne
6-10 = Très faible	26-30 = Bonne
11-15 = Faible	31-35 = Très bonne
16-20 = Plutôt faible	36-40 = Excellente

Ce test avait pour but de vous sensibiliser à la place qu'a véritablement le marketing dans votre entreprise. Si votre score est inférieur à 30, il serait bon de faire un plan de marketing ; cela vous aidera non seulement à mieux gérer vos activités de marketing, mais aussi à valoriser la fonction du marketing et à placer le client où il devrait être, c'est-à-dire au centre de vos préoccupations. Si votre score est plus élevé, la présente démarche vous aidera à améliorer la performance de votre entreprise.

Chapitre 2

Le processus de la planification du marketing

Avant d'aborder la présentation du processus de la planification du marketing, nous allons nous demander ce qu'est un plan de marketing, pourquoi il est bon d'en rédiger un et comment obtenir l'information qui vous permettra de le faire.

2.1 LE PLAN DE MARKETING

Qu'est-ce, en pratique, qu'un plan de marketing? Le plan de marketing est un document écrit — qui n'a pas à être long ni compliqué — et qui inclut quatre éléments : l'analyse de la situation de l'entreprise (l'environnement interne et l'environnement externe), l'orientation de l'entreprise (la mission et les objectifs), la création de stratégies (les stratégies fondamentales de marketing et de mix de marketing) et, enfin, l'exécution (la structure organisationnelle, la mise en œuvre et le contrôle du plan). Il n'y a pas de modèle idéal pour un plan, chaque entreprise décide de ce qui lui convient. Nous vous proposerons néanmoins un modèle bien accepté et utilisé par nombre de gens d'affaires et d'entreprises. Vous trouverez au tableau 2.1 un exemple d'une table des matières typique d'un plan de marketing.

PLAN DE MARKETING 19____ DE _____

TABLE DES MATIÈRES

Abrégé administratif

Analyse de la situation
    Analyse de l'environnement interne
    Analyse des forces et faiblesses du marketing de l'entreprise
    Analyse de l'environnement externe
        Macro-environnement
        Micro-environnement
    Analyse des occasions d'affaires et des menaces
    Détermination des enjeux

Orientation
    Mission
    Objectifs de marketing

Stratégies
    Stratégies fondamentales
    Stratégies de mix de marketing
        Programmes pour le marché A
        Programmes pour le marché B

Budget de marketing

Exécution
    Organisation
    Mise en œuvre
    Contrôle

Annexes

Tableau 2.1 Un exemple de table des matières d'un plan de marketing

2.2 POURQUOI RÉDIGER UN PLAN DE MARKETING ?

La raison d'être de toute entreprise est la satisfaction de la clientèle ; comme nous l'avons déjà dit, pas de clients, pas d'entreprise. Puisque le rôle du marketing est de gérer les échanges avec la clientèle, il est essentiel de planifier ces échanges. Or, s'il est nécessaire pour être efficace de planifier ses journées de travail au moyen d'un agenda, il est d'autant plus important de planifier tous les efforts de marketing de l'entreprise, puisque c'est par cette fonction qu'on apporte l'eau au moulin...

Pourquoi planifier ? Pour savoir où l'on va. On ne penserait jamais à faire décoller un avion avant de décider où il ira et comment il s'y rendra. Un plan aide à déterminer la direction générale de l'entreprise, à fixer des objectifs réalistes et à élaborer les stratégies pour les atteindre. Par sa nature, le plan de marketing aide à mieux comprendre ce qui se passe dans le milieu et à prévoir les changements. Il aide ainsi à mieux cibler et mieux coordonner les efforts de marketing.

Il est préférable de rédiger un plan pour les raisons suivantes :

- Il aide à motiver le personnel et à coordonner les efforts ;

- Il permet de mieux cerner les problèmes, les forces et faiblesses de l'entreprise, les menaces de l'environnement et les occasions d'affaires ;

- Il fournit une liste de vérification et un échéancier, et devient un outil de travail ;

- Il facilite le contrôle ;

- Il augmente les chances de succès.

Il existe aussi des désavantages à faire un plan. Tout d'abord, un plan exige un effort de la part des dirigeants de l'entreprise. Préparer un plan comporte également des coûts. Cela requiert l'utilisation de ressources et peut susciter des remises en question qui ne sont pas toujours faciles. Il y a aussi la possibilité que cet exercice soit futile, si les conditions changent de façon radicale, par exemple, ou encore si le plan est remisé dans un tiroir et n'est jamais utilisé ni contesté. Néanmoins, les avantages à rédiger un plan de marketing sont supérieurs aux désavantages.

Avant d'entreprendre la démarche détaillée du processus de la planification du marketing, il est essentiel de recueillir des données sur le milieu de l'entreprise afin d'en faire l'analyse. C'est ce que nous verrons maintenant.

2.3 COMMENT OBTENIR DE L'INFORMATION

Comment obtenir l'information nécessaire pour faire un plan de marketing? Il faut un système d'information marketing minimal. L'idée est simple : l'entreprise doit s'organiser pour obtenir le plus d'information possible sur les changements du macro-environnement (économique, démographique, social, etc.), les clients, les concurrents et les marchés, et sur les résultats et les pratiques de l'entreprise. De nos jours, les changements dans l'environnement des entreprises sont nombreux et fréquents. L'entreprise doit s'adapter à ces changements, prévoir les menaces et saisir les occasions d'affaires. Comment y arriver? Il y a trois éléments bien connus qui forment le système d'information marketing d'une entreprise : les rapports internes, les renseignements marketing et la recherche en marketing (figure 2.1). C'est le système d'information marketing qui fournit aux managers l'information nécessaire pour planifier, organiser, mettre en œuvre et contrôler les activités de marketing.

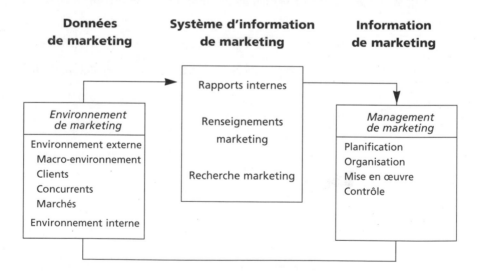

Figure 2.1 Le rôle du système d'information marketing

2.3.1 Les rapports internes

Il vous faut d'abord déterminer vos besoins d'information en marketing. Quelle information est nécessaire pour prendre de bonnes décisions? Avant tout, apprenez à bien connaître ce qui se passe dans votre entreprise. On trouvera au tableau 2.2 une liste des exemples d'information à recueillir. Il ne s'agit pas ici de recueillir systématiquement tous ces renseignements, mais il faut prendre en considération le fait que les PME possèdent généralement de nombreuses données qu'elles utilisent peu ou mal. Vous connaissez sûrement les ventes de votre entreprise, mais êtes-vous familier avec la rentabilité de vos ventes par produit, par représentant, par territoire et par client?

Cette information est nécessaire. Il vous faut, par exemple, connaître les pôles de croissance, les produits qui doivent être modifiés ou éliminés, les représentants qui offrent une bonne performance et ceux qu'il faut aider ou remplacer, les territoires où il faut accroître les efforts et ceux qu'il faudrait abandonner. Les rapports internes vous aident à prendre des décisions plus éclairées parce qu'elles sont basées sur des faits et non sur des hypothèses.

Résultats des opérations		
Ventes ($ ou unité) /	**% d'augmentation / (diminution)**	**Rentabilité /**
Produit	Produit	Produit
Territoire	Territoire	Territoire
Représentant	Représentant	Représentant
Circuit de distribution	Circuit de distribution	Circuit de distribution
Client	Client	Client
Rapports		
Vendeurs, agents	Dépenses de marketing	
Plaintes des clients	Ratio des dépenses/ventes	
Demandes d'information	Taille des commandes	
États des profits et pertes		

Tableau 2.2 Des exemples d'information à recueillir à l'intérieur de l'entreprise

Des renseignements sur les plaintes, les suggestions et les demandes d'information peuvent être obtenus des rapports écrits et verbaux des vendeurs ou des agents, de même que des réceptionnistes. Il est également essentiel de connaître les dépenses de marketing, les salaires, les promotions, etc.

2.3.2 Les renseignements marketing

Il existe plusieurs sources d'information qui peuvent vous donner tous les renseignements utiles sur l'environnement externe, comme la concurrence, les changements d'habitude des consommateurs, etc. Il vous faut développer une attitude d'ouverture à votre milieu et la faculté d'observation et d'écoute active. La téléphoniste ou la réceptionniste, les représentants, les techniciens, le responsable du service à la clientèle, le responsable de l'expédition, tous les membres du personnel sont en mesure de transmettre de l'information utile (par exemple, le lancement d'un nouveau produit par un concurrent, etc.). Une deuxième source provient des dirigeants de l'entreprise. Ceux-ci assistent, ou devraient assister, à des colloques et à des foires commerciales, ils sont exposés à une grande quantité d'information qui devrait être partagée avec les collègues et les employés. Une troisième source d'information est le client ; il faut savoir être à l'écoute des clients, inviter le personnel qui se trouve en contact avec eux à faire de l'écoute active et l'inviter à transmettre l'information qu'il reçoit : plaintes, suggestions, commentaires, etc. Une quatrième source d'information est donnée par les circuits de distribution et les fournisseurs ; il faut, en effet, encourager les personnes qui ont des intérêts communs à transmettre les renseignements importants sur les changements du marché et sur la concurrence. Vous trouverez une cinquième source d'information dans les médias, particulièrement dans les imprimés. L'entreprise devrait être abonnée aux journaux d'affaires, aux revues professionnelles, aux revues et rapports des associations industrielles et commerciales, de même qu'aux documents pertinents publiés par Statistique Canada.

2.3.3 La recherche marketing

De temps à autre, l'information donnée par les systèmes de rapports internes et de renseignements marketing n'est pas suffisante et il est nécessaire d'effectuer des études particulières. La recherche marketing présente l'avantage de mettre à jour des données qui répondent à des besoins précis. Cependant, elle exige des ressources plus importantes et des compétences certaines, telles que la méthodologie de la recherche, la préparation d'un questionnaire et l'analyse statistique des données. Certaines entreprises ont recours à des spécialistes dans la recherche en marketing et d'autres préfèrent effectuer la recherche elles-mêmes. Les organisations qui font affaire avec des consommateurs peuvent, par exemple, utiliser les services d'une firme de sondage qui offre des sondages omnibus mensuels, effectués auprès d'un échantillon de la population représentatif, au tarif de 400 $ à 500 $ par question.

Des études précises ne sont pas nécessairement hors de portée des PME. Ces dernières peuvent organiser des groupes de discussion auprès des clients. Elles peuvent également effectuer des sondages. Par exemple, il est possible de préparer un questionnaire d'une page pour mesurer annuellement (à l'occasion de la préparation du plan d'entreprise et du budget) la satisfaction de la clientèle par rapport à des critères de base comme la courtoisie, le respect des promesses, l'accessibilité du produit ou du service, etc. On peut procéder par des entrevues téléphoniques ou mieux, en se rendant chez les clients.

Ainsi, l'information obtenue du système d'information marketing est utilisée pour faire l'analyse de la situation, ce qui constitue la première étape du processus de la planification.

2.4 LES ÉTAPES DE PROCESSUS DE LA PLANIFICATION DU MARKETING

Le processus de la planification du marketing est composé de quatre grandes étapes présentées à la figure 2.2, à savoir l'analyse de la situation, l'orientation de l'entreprise, la création de stratégies et leur exécution. Veuillez noter que les éléments du processus de planification du marketing correspondent généralement aux éléments de la table des matières (voir celle que nous avons présentée au tableau 2.1).

2.4.1 L'analyse de la situation

L'analyse de la situation est la première étape du processus de planification du marketing. Avant de décider où aller et de quelle manière s'y rendre, il faut savoir où l'on est. La première démarche est de faire l'analyse de l'environnement de l'entreprise. Vous déterminerez ainsi les forces et les faiblesses de

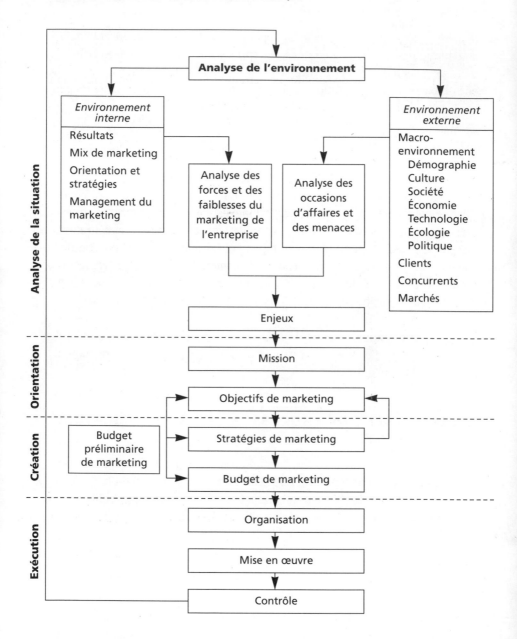

Figure 2.2 Le processus de la planification du marketing

votre entreprise, ainsi que les occasions d'affaires et les menaces potentielles que recèle son environnement. L'analyse de l'environnement se compose de deux parties : l'analyse de l'environnement interne et celle de l'environnement externe. En ce qui concerne l'environnement interne, vous devez faire le point sur votre entreprise en ce qui a trait à sa fonction marketing. Ainsi, vous devez évaluer les résultats obtenus (ventes, etc.) en fonction des objectifs, le mix de marketing, l'orientation de l'entreprise et les stratégies de marketing ainsi que les pratiques de management du marketing. Puis, vous aurez à porter votre attention sur l'environnement externe, soit le macro-environnement (tous les changements importants d'un point de vue démographique, culturel, social et autres qui influencent le sort de votre entreprise), les clients, les concurrents et les marchés.

Grâce à l'analyse de l'environnement interne, vous serez à même de cerner les forces et les faiblesses de l'entreprise et de son marketing. Quant à l'analyse de l'environnement externe, elle vous permettra de déceler les menaces potentielles pour l'entreprise ainsi que les occasions d'affaires. À la suite de ces deux analyses, vous aurez mis en évidence les enjeux qui influenceront l'orientation de l'entreprise. Vous verrez à exploiter les occasions d'affaires et à contrecarrer les menaces, et ce, en fonction des forces et des faiblesses de votre entreprise. Nous reviendrons en détail sur l'analyse de l'environnement interne et externe de votre entreprise dans la deuxième partie de ce livre.

2.4.2 L'orientation de l'entreprise

L'orientation est la deuxième étape du processus de la planification. Elle permet d'abord de définir la mission de l'entreprise, c'est-à-dire sa raison d'être, ou de revoir la mission actuelle. La mission est donc la pierre angulaire du plan de marketing et du fonctionnement de toute l'entreprise. Elle est généralement conditionnée par les forces, les compétences et les ressources de l'entreprise, par les besoins du marché, par les changements dans le macro-environnement et par la concurrence.

L'orientation consiste aussi à déterminer les objectifs qui peuvent se révéler quantitatifs ou qualitatifs à court ou à long terme. Le dirigeant doit maintenant décider de la direction a prendre et trouver la façon de s'y rendre.

2.4.3 La création

La troisième étape du processus de la planification du marketing en est une de création. Les stratégies de marketing sont les moyens que le manager choisit pour atteindre ses objectifs. Les stratégies de marketing sont centrées sur les clients, en tenant compte des concurrents. Il existe deux niveaux de stratégies en marketing (figure 2.3) : les stratégies fondamentales (offre, demande et concurrence) et les stratégies du mix de marketing (produit/service, prix, distribution, communication et personnel en contact avec la clientèle).

Figure 2.3 Les niveaux de stratégies de marketing

Le chapitre 5 verra à préciser les éléments qui concernent la création de stratégies. Nous y verrons que les stratégies fondamentales se doivent d'être fixées avant de déterminer les stratégies du mix de marketing, qui ont trait aux produits et aux services de l'entreprise, au prix, à la distribution, à la communication et au personnel en contact avec les clients. Ces dernières données seront expliquées en détail au chapitre 6.

Le processus de la création de stratégies exige aussi de prévoir un budget. Un budget préliminaire est fixé et souvent revisé en fonction des stratégies. Une stratégie n'est rien d'autre qu'une idée par laquelle un objectif peut être atteint. Elle est essentielle, mais n'est pas opérationnelle. Ce qui est opérationnel, ce sont les programmes de marketing et les services de soutien au marketing. Les programmes de marketing décrivent les activités ou les tâches ponctuelles à accomplir. Ainsi, un fabricant de produits d'écriture préparera un programme pour la rentrée des classes : on créera des ensembles, fixera un prix réduit pour la vente au détail, un concours pour les représentants, des primes pour les intermédiaires, un message pour les médias imprimés et un publipostage pour informer les détaillants. Les services de soutien comprennent les services à la clientèle, les services après-vente, les services de formation et autres. Plusieurs compromis doivent normalement être faits avant l'approbation finale du budget. Une fois le budget final approuvé par la direction, le marketer est alors prêt à passer à l'action.

2.4.4 L'exécution

Tout plan n'a de valeur que s'il est concrétisé par l'action. Un plan de marketing n'est pas une fin en soi, son succès ne se révèle que dans sa réalisation. L'exécution, la dernière étape du processus de la planification, comprend trois éléments : l'organisation, la mise en œuvre et le contrôle des activités de marketing.

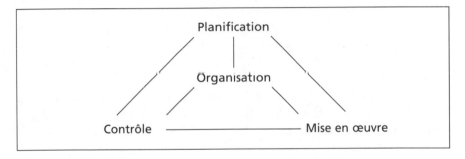

Figure 2.4 Le management du marketing

• L'organisation

L'organisation est le centre des activités de management du marketing (figure 2.4). Sans organisation, il n'est pas possible de préparer un plan de marketing ni d'en assurer la mise en œuvre et le contrôle.

• La mise en œuvre

La mise en œuvre est la démarche par laquelle le plan de marketing est concrétisé dans l'action. La stratégie consiste à déterminer des activités de marketing appropriées à un objectif (le pourquoi et le quoi des activités) ; la mise en œuvre fait intervenir la personne responsable des activités de marketing, le niveau hiérarchique de décision, ainsi que le moment et la manière de les appliquer (le qui, le où, le quand et le comment des activités de marketing). La mise en œuvre implique la mise en place de politiques et de systèmes qui assurent la bonne gestion du marketing. On portera beaucoup d'attention au respect des échéanciers. Aucune stratégie ne peut prétendre au succès si les activités de marketing ne sont pas réalisées, et bien réalisées ; et pour ce faire, il faut en assurer le contrôle.

• Le contrôle

Le contrôle consiste à s'assurer que les résultats sont le plus conforme possible aux objectifs fixés lors de la planification. Le contrôle est donc le corollaire de la planification. Sans planification, il est difficile, voire impossible, d'assurer un contrôle efficace des opérations. Par contre, l'effort de planification de marketing perd beaucoup de sa signification s'il n'est pas suivi d'un contrôle.

Le contrôle des activités de marketing n'est réalisable que si l'information est accessible et que s'il est possible de modifier les programmes. Le contrôle implique donc la surveillance de toutes les activités de marketing et l'ajustement de l'effort de marketing. À court terme, on parlera du contrôle du plan annuel de marketing et du contrôle de la rentabilité, de la productivité et de la satisfaction de la clientèle. À long terme, on parlera de contrôle stratégique, c'est-à-dire d'audit marketing.

Le contrôle est la dernière étape du processus de marketing. C'est aussi, en un sens, la première étape de la démarche de planification qui suivra, car l'information obtenue des activités de contrôle permettra d'améliorer la préparation du plan suivant. Par exemple, si une campagne de publipostage a été menée auprès des principaux clients et qu'un taux de réponse de 10 % a été obtenu, alors qu'on avait prévu un taux de réponse de 25 %, on révisera les stratégies ou les objectifs. Il s'agit d'un processus d'apprentissage...

CONCLUSION

Dans ce chapitre, nous avons vu les avantages et les désavantages de faire un plan de marketing. Nous avons présenté en quoi consistait un plan de marketing, de même que les étapes du processus de la planification du marketing. Nous avons souligné l'importance du système d'information dans la préparation d'un plan de marketing efficace ; sans données objectives, le plan de marketing n'est que pures spéculations.

La deuxième partie du livre est consacrée à l'analyse de l'environnement interne et externe de l'entreprise, c'est-à-dire à l'analyse des forces et des faiblesses de l'entreprise et à celle des occasions d'affaires et des menaces.

DEUXIÈME PARTIE

L'ANALYSE
DE LA SITUATION

L'analyse de la situation est cruciale dans la démarche de marketing : il faut bien comprendre où l'on est avant de décider où l'on va. Cette étape comprend l'analyse de l'environnement interne (l'entreprise elle-même) et l'analyse de l'environnement externe (tout ce qui entoure l'entreprise).

Chapitre 3

L'analyse de l'environnement interne

L'analyse de l'environnement interne et externe de l'entreprise permettra de reconnaître les forces et les faiblesses de l'entreprise de même que les menaces et les occasions d'affaires, ainsi que de cerner les enjeux du marketing et de procéder au choix des marchés cibles et des stratégies.

3.1 L'ANALYSE DE L'ENVIRONNEMENT INTERNE, C'EST QUOI ?

Le but de l'analyse de l'environnement interne (figure 3.1) de l'entreprise, ou l'auto-analyse, est de connaître en profondeur votre entreprise. Cela doit être fait de façon objective. L'analyse de l'environnement interne est orientée sur l'évaluation de la performance et comprend quatre composantes :

- L'analyse des résultats ;

  L'analyse du mix de marketing ;

- L'analyse de l'orientation et des stratégies de marketing ;

- L'analyse du management du marketing.

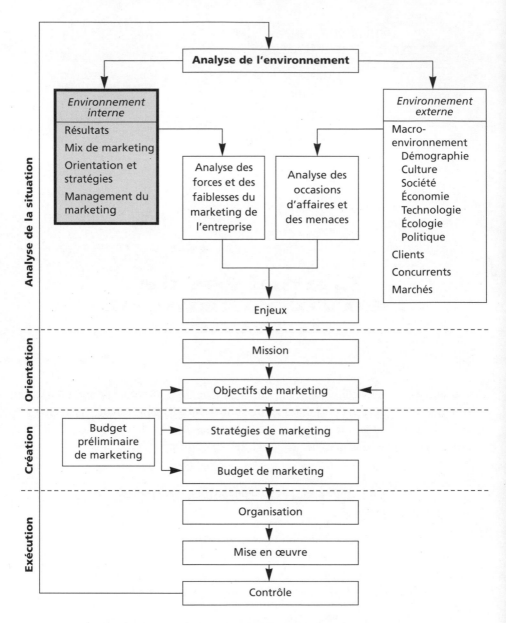

Figure 3.1 Le processus de la planification du marketing

On trouvera à la figure 3.2 un schéma détaillé de l'analyse de l'environnement interne.

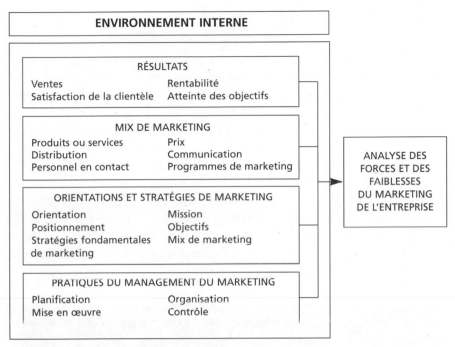

Figure 3.2 L'analyse de l'environnement interne

LA DÉMARCHE

Pour bien réussir la préparation de votre plan de marketing, lisez avec soin ce qui suit :

1. Lisez chaque partie du chapitre ;
2. Lisez avec attention les questions des tableaux ;
3. Lisez l'exemple ;
4. Rédigez le plan de marketing de votre entreprise, étape par étape. Référez-vous, lorsque nécessaire, aux exemples correspondants dans le texte.

L'exemple

Pour faciliter votre compréhension et pour illustrer la démarche, nous utilisons le cas d'une entreprise manufacturière, Graphix, qui fabrique, importe et assemble des instruments d'écriture (instruments à dessin, crayons à mine et crayons de couleur). Le marché est divisé en trois segments : le segment des affaires (bureaux et professionnels), le segment scolaire et le segment commercial. L'entreprise utilise des représentants au Québec et en Ontario et des « agents de fabricant » dans les autres provinces et à l'étranger.

3.2 L'ANALYSE DES RÉSULTATS

La première partie de l'analyse interne consiste à étudier les résultats de l'entreprise, normalement ceux de la dernière année. Les premières questions ont trait aux ventes. Sont-elles satisfaisantes ? Qu'en est-il de la rentabilité ? Les plus gros clients sont-ils des clients rentables ? Qu'en est-il de la satisfaction de la clientèle ? Comment la clientèle évalue-t-elle la qualité des produits et des services ? Comment est le service à la clientèle ? Globalement, vos objectifs ont-ils été atteints ? Pourquoi ? Pourquoi pas ?

Vous trouverez, au tableau 3.1, des questions qui vous aideront à effectuer l'analyse des résultats de votre entreprise ainsi que, au tableau suivant, les réponses typiques données pour l'analyse de la compagnie Graphix. À l'aide de ces outils, vous êtes en mesure maintenant de procéder à la première partie de l'analyse de l'environnement interne de votre entreprise en recueillant les données nécessaires et en rédigeant l'analyse des résultats de votre entreprise.

L'ANALYSE DE L'ENVIRONNEMENT INTERNE
LES RÉSULTATS DE L'ENTREPRISE

Les ventes

Connaissez-vous vos ventes :
      par produit ou service ?
      par marché ou segment de marché ?
      par taille de clients ?
      par type de clients ?
Que savez-vous de la croissance (ou diminution) des ventes ?
En connaissez-vous les raisons ?
Qu'en est-il de votre part du marché ?

La rentabilité

Quelle est la marge brute/nette ?
Quel est le profit ?
Quels sont la marge brute/nette et le profit :
      par produit ou service ?
      par gamme de produits et services ?
      par marché ou segment de marché ?
      par client (taille / type) ?

La satisfaction de la clientèle

Comment les clients évaluent-ils votre entreprise ?
Quelle est la satisfaction vis-à-vis de vos produits ou services ?
Qu'en est-il de votre service à la clientèle ?

Les objectifs

Les objectifs ont-ils été atteints ?
Pourquoi et pourquoi pas ?
Avaient-ils été bien fixés ?
Étaient-ils réalisables ?

Tableau 3.1 La grille d'analyse de l'environnement interne (les résultats)

L'ANALYSE DE L'ENVIRONNEMENT INTERNE DE GRAPHIX
LES RÉSULTATS

Année	Ventes (000 $)		
	(-3) 1995	(-2) 1996	(-1) 1997
Ventes totales			
Objectifs de ventes	2 021	2 034	2 251
Ventes réelles totales	2 103	1 986	2 054
Part de marché estimée	16,1 %	15,9 %	16,2 %
Profits	121	29	95
Ventes et profits par segment			
Ventes (affaires)	672	597	557
Profits	56	39	46
Ventes (scolaire)	874	896	927
Profits	31	(29)	21
Ventes (commercial)	557	493	570
Profits	34	19	28

	Ventes (000 $)		
Année	**(-3)** **1995**	**(-2)** **1996**	**(-1)** **1997**
Instruments à dessin			
Règles	122	105	140
Gabarits	147	136	146
Gommes à effacer	96	91	87
	365	332	373
Crayons à mine noire			
Dessinateur	304	252	244
Bureau / maison	579	532	553
	883	784	797
Crayons de couleur			
Ensemble de 8	204	198	211
Ensemble de 12	342	352	369
Ensemble de 24	309	320	304
	855	870	884
Ventes totales	**2 103**	**1 986**	**2 054**

Les ventes

Nos ventes baissent dans le segment des affaires, se maintiennent dans celui du commercial et croissent dans celui du scolaire. Les ventes baissent pour les crayons à mine noire, croissent légèrement pour les crayons de couleur et stagnent pour les instruments à dessin. Il faut penser à de nouveaux produits.

La rentabilité

Le marché scolaire n'est pas très rentable à cause des systèmes de soumission, mais c'est ce qui fournit le pain et le beurre. Il faut accroître le volume des commandes en ce qui concerne le segment des affaires. Il faudrait mieux connaître nos prix de revient afin d'obtenir la meilleure rentabilité possible par produit.

La satisfaction de la clientèle

Les représentants disent que les clients sont en général satisfaits. La qualité du service est bonne sauf en ce qui concerne les bris de commandes. Mais nous n'avons pas réellement d'objectifs de satisfaction de la clientèle et nous ne mesurons pas directement la satisfaction de nos clients.

Les objectifs

Les objectifs de ventes n'ont pas été atteints, principalement parce que nous n'avons pas encore réussi, dans le marché commercial, à pénétrer vraiment le marché des grandes surfaces (Bureau en gros, Club Price, Jean Coutu, etc.), et ce, en raison surtout des prix.

Exemple 3.1 L'analyse de l'environnement interne (les résultats)

3.3 L'ANALYSE DU MIX DE MARKETING

La deuxième partie de l'analyse interne de l'entreprise prend la forme d'une évaluation des stratégies de mix de marketing, c'est-à-dire des stratégies quant aux produits ou aux services (ou gammes de produits ou de services), au prix, à la distribution, à la communication et aux activités qui concernent le personnel en contact avec la clientèle. Si votre offre est différente selon vos principaux segments de marché — vous pouvez, par exemple, offrir vos produits à des particuliers et aussi à des entreprises (deux segments), ou encore au pays ou à l'étranger (deux autres segments) —, vous devriez procéder à cette analyse pour chacun de ces segments.

L'analyse consiste à passer en revue ce que vous avez fait, à prendre conscience des problèmes qui se posent et à reconnaître vos bons coups. Vous trouverez, au tableau 3.2, des questions qui vous aideront à effectuer l'analyse du mix de marketing de votre entreprise, ainsi qu'un modèle d'analyse du mix de marketing à l'exemple 3.2. Rédigez ensuite l'analyse du mix de marketing de votre entreprise.

L'ANALYSE DE L'ENVIRONNEMENT INTERNE
LE MIX DE MARKETING

Les produits ou services

Quels sont vos principaux produits ou services et vos principales gammes de produits ou services ?

Quels produits ou services sont des vedettes, des vaches à lait, des problèmes, des poids morts ?

Quelle est la position approximative de chaque produit ou service sur son cycle de vie ? Y a-t-il trop de produits à maturité ou en déclin ?

Quels produits ou services devriez-vous modifier ? Abandonner ? Ajouter ?

Comment vos produits ou services se comparent-ils à ceux de la concurrence du point de vue de la qualité et du design ?

Quelle est la valeur perçue de chaque produit ou service ?

Offrez-vous un bon service à la clientèle ?

Avez-vous une politique de retour des marchandises ? Et la garantie ?

Le prix

Comment le marché répond-il à vos prix ? Et vos vendeurs ? Et vos distributeurs ?

Comment est perçu votre rapport qualité/prix ?

Comment vos prix se comparent-ils à ceux de la concurrence ?

Que vaut votre politique des prix ? Celle des réductions ?

Votre liste de prix est-elle claire ?

Qu'en est-il de vos conditions de vente ?

La distribution (place)

Est-ce que l'évaluation de vos circuits de distribution a été faite récemment ?

La couverture du marché est-elle adéquate ?

Qu'en est-il de la productivité et de l'efficacité de chaque circuit de distribution ?

Vos politiques de distribution sont-elles suffisamment flexibles ?

Certains circuits de distribution devraient-ils être modifiés ? Éliminés ?

Vos produits et services sont-ils facilement accessibles ?

La communication (promotion)

Dépensez-vous assez (ou trop) pour les communications en général ? Et pour chacun des éléments du mix de communication (publicité, relations publiques, télémarketing, publipostage, promotion des ventes, ventes) ? Les thèmes de publicité ont-ils été bien choisis ?
Utilisez-vous suffisamment les activités de relations publiques ?
L'entreprise aurait-elle avantage à utiliser plus souvent le publipostage ? Et le télémarketing ?
Êtes-vous efficace dans son utilisation ? Vos listes de clients sont-elles à jour ? Que vaut votre catalogue ?
Connaissez-vous bien les principaux outils de promotion des ventes ? Utilisez-vous les bonnes promotions auprès des clients ? Des intermédiaires ? Des vendeurs ?
Comment évaluez-vous votre présence ou votre absence à diverses foires ? La taille de la force des ventes est-elle suffisante ?
Avez-vous choisi la bonne structure organisationnelle des ventes ?
Le système de rémunération des vendeurs est-il performant ?
Devriez-vous mieux former certains vendeurs ? En remercier ? En embaucher ?

Le personnel en contact

Les horaires de travail répondent-ils aux besoins de la clientèle ? Les horaires du personnel sont-ils suffisamment flexibles ?
Les employés sont-ils suffisamment informés pour bien accomplir leur travail ?
Avez-vous le bon type de personnes pour cette tâche ?
Avez-vous de bonnes politiques de recrutement ?
Le personnel en contact avec la clientèle est-il conscient de l'importance de son rôle ?
La formation de ce personnel est-elle appropriée ?
Le service à la clientèle est-il performant ?
Les autres employés sont-ils conscients de la nécessité de bien soutenir le personnel en contact avec la clientèle ?

Les programmes de marketing

Quelle a été la performance des différents programmes de marketing lancés durant l'année ?

Quelles ont été les causes des succès et des échecs ?

Quels programmes devriez-vous répéter ? Éliminer ?

Quels programmes auraient dû être mis sur pied ? Devraient être mis sur pied ?

Tableau 3.2 La grille d'analyse de l'environnement interne (le mix de marketing)

L'ANALYSE DE L'ENVIRONNEMENT INTERNE DE GRAPHIX
LE SEGMENT DES AFFAIRES

Les produits ou services   *Crayons à mine noire automatique*

Ventes (ou autres indicateurs)   *112 680 $*

Potentiel
Bon potentiel, produit substitut pour les crayons traditionnels, usages multiples. Les crayons automatiques à mine noire ont remplacé les crayons à mine traditionnels dans ce segment.

Principaux avantages
Utilise des mines régulières, facile à tenir, pièces standard.

Principales plaintes
Quelques bris du mécanisme rapportés.

Décisions possibles
Modifier la gomme à effacer, offrir une nouvelle couleur ? Créer un crayon automatique qui ne ferait pas partie d'un ensemble de stylo-plume et crayon.

Qualité du service/service à la clientèle
Il faut absolument rappeler les clients plus rapidement.

Le prix

Définition de la politique des prix et établissement des niveaux de prix (politique des prix, des escomptes, des réductions)
Il faut réévaluer la structure des réductions des grossistes par rapport aux grandes surfaces. Il faut absolument réviser la liste des prix.

Rapport qualité/prix
Jugé très bon.

Comparaison avec la concurrence
Le produit est bien, la promotion fonctionne bien. Il faut améliorer l'emballage.

La distribution

Circuits de distribution
Revoir le contrat de l'agent des Maritimes.

Accessibilité (heures d'ouverture, transport, etc.)
Le service à la clientèle doit-il tenir compte des décalages horaires?

La communication

Publicité (brochures, annonces, panneaux-réclames, en-têtes de lettres, etc.)
En priorité, refaire le catalogue. Mettre à jour notre liste de clients. Effectuer un envoi à tous les clients importants seulement. Aux commissions scolaires?

Relations publiques (organisation d'événements, représentation)
Il faut revoir les priorités de participation aux différentes activités. Doit-on continuer à commanditer les équipes locales de balle et de hockey? Et le théâtre d'été?

Marketing direct (publipostage, télémarketing)
Nos concurrents font au moins un envoi personnalisé par trimestre. Que faut-il faire?

Promotion des ventes (promotions, réductions, concours, escomptes, objets publicitaires, etc.)
La promotion du retour en classe a bien fonctionné. La promotion de crayons de couleur pour Noël a été faite trop tard.

Ventes (à qui, sous quelle forme, rémunération)
Il faudrait décider si c'est la direction qui doit continuer à s'occuper des exportations. Sinon, quel vendeur devrait en prendre la charge? Il faudrait évaluer la structure de rémunération.

Le personnel en contact avec la clientèle

Évaluation de la tâche et du personnel
Réévaluer en fonction des nouvelles politiques de ventes. Qui transmet les commandes à la production ? Il faut absolument clarifier les interfaces ventes/services à la clientèle/production.

Recrutement et formation
Mettre l'accent sur la capacité à être en contact avec le public. Le bilinguisme est nécessaire. Donner la formation avec le nouveau logiciel dès l'embauche.

Information et motivation (comment informer et motiver les employés)
Tous les employés devront être informés du plan de marketing. Le personnel du service à la clientèle devrait-il assister à certaines réunions de vente ?

Les programmes

Description du programme
Retour en classe.

Causes du succès ou de l'échec
Fonctionne bien, mais il faudrait offrir deux ensembles contenant des quantités différentes de crayons, de gommes à effacer, etc. : le régulier et un ensemble réduit pour les plus petits commerçants, comme les dépanneurs.

Recommandations (répéter ou non, modification)
Il faut continuer cette promotion.

Améliorations possibles
Le carton des emballages pour l'expédition des boîtes des crayons de couleur devrait être renforcé.

Exemple 3.2 L'analyse de l'environnement interne (le mix de marketing)

3.4 L'ANALYSE DE L'ORIENTATION DE L'ENTREPRISE ET DES STRATÉGIES

La troisième partie de l'analyse interne est plus stratégique. Vous ferez en quelque sorte l'audit marketing de l'orientation stratégique de votre entreprise : vous réviserez sa mission, son positionnement, ses marchés cibles et ses objectifs de marketing actuels. En plus d'évaluer l'orientation que l'entreprise s'est donnée, vous vous interrogerez sur les stratégies : les stratégies fondamentales et les stratégies de mix de marketing (que nous verrons en détail dans la troisième partie). Cette analyse peut être faite pour l'ensemble de l'entreprise ou pour chaque segment. Vous trouverez, au tableau 3.3, des questions qui vous aideront à faire l'analyse de l'orientation et des stratégies de votre entreprise ; des exemples de réponses vous sont fournis à l'exemple 3.3. Vous pouvez maintenant décrire la mission, le positionnement, les objectifs et les principales stratégies de marketing de votre entreprise. Pour le moment, vous vous contentez de faire le point sur ce qu'est votre entreprise. Nous reprendrons plus tard l'élaboration de la mission et des stratégies de marketing de votre entreprise, à la suite des analyses de l'environnement interne et externe, des forces et des faiblesses, des occasions d'affaires et des menaces ainsi que de la définition des enjeux.

L'ANALYSE DE L'ENVIRONNEMENT INTERNE
L'ORIENTATION DE L'ENTREPRISE ET LES STRATÉGIES

L'orientation de l'entreprise

La mission de l'entreprise est-elle définie clairement ? Sinon, il faudra la reformuler (ou même la formuler) ; on verra au chapitre 7 les éléments qui composent l'énoncé de la mission.

Le positionnement

Quelle est la notoriété de votre entreprise auprès des intermédiaires, des détaillants et des consommateurs ?

Comment votre entreprise est-elle perçue en général ? Quelle est son image ?

Quels sont les principaux critères utilisés par les clients dans le choix d'une entreprise ?

Quels sont les principaux critères de choix des produits ?

Comment votre entreprise est-elle évaluée par rapport à vos concurrents ?

Comment vos produits sont-ils évalués par rapport à ceux de vos concurrents ?

Quels sont les facteurs clés du succès dans le marché en général ? Dans chaque segment ?

Quels sont les avantages concurrentiels durables de votre entreprise et de vos produits en général ? Des concurrents et de leurs produits ? Dans chaque segment ?

Les marchés cibles et les objectifs

L'attrait des segments et des marchés cibles a-t-il été bien évalué ? De même pour la position concurrentielle en fonction des facteurs clés ?

Avez-vous bien évalué le potentiel ?

Mettez-vous vos efforts dans les bons marchés cibles ?

Les objectifs généraux sont-ils réalistes ? Et ceux par segment ?

Qu'en est-il de vos objectifs de ventes ? De vos objectifs quant à la part du marché ? Quant au positionnement ?

Utilisez-vous une bonne méthode pour déterminer des objectifs ?

Les stratégies

Les stratégies fondamentales sont-elles les bonnes stratégies par rapport aux objectifs ?
De façon plus précise, qu'en est-il des stratégies de segmentation, de différenciation et de positionnement ?
Et les stratégies de concurrence ?
Et qu'en est-il des stratégies de mix de marketing (produits ou services, prix, distribution, communication et personnel en contact avec la clientèle) ?

Tableau 3.3 La grille d'analyse de l'environnement interne (l'orientation et les stratégies)

L'ANALYSE DE L'ENVIRONNEMENT INTERNE DE GRAPHIX
L'ANALYSE DE L'ORIENTATION ET DES STRATÉGIES

La mission (telle qu'elle est)

Nous n'avons jamais rédigé notre mission, mais nous savons ce que nous voulons. Graphix est une PME qui fournit des instruments d'écriture et de dessin de qualité aux marchés des affaires, scolaire et commercial.

Le positionnement

Graphix est une entreprise bien connue des intermédiaires, moins des consommateurs, qui connaissent cependant plus Multicolor, notre marque de crayons de couleur. Nous n'avons jamais évalué notre image, mais les commentaires des représentants et des gens rencontrés dans les foires indiquent que Graphix jouit d'une bonne image générale. On reconnaît la qualité des produits et du service à la clientèle. Les entreprises clientes cherchent des fournisseurs fiables, des bas prix et des politiques de rabais et de crédit claires. Nos crayons de couleur sont de meilleure qualité que ceux des concurrents, la boîte pliante est fort utile. Nos crayons à mine noire sont de qualité acceptable. Il est possible de faire plusieurs modifications à nos instruments (surtout en ce qui concerne les dimensions et la couleur). Les facteurs clés de succès sont pour l'entreprise la fiabilité, la rapidité de la livraison, la stabilité financière, le service à la clientèle, un bon rapport qualité/prix. Pour les produits, les facteurs clés sont la texture de la mine, l'emballage des instruments d'écriture et la multifonctionnalité des instruments de dessin. Les principaux avantages concurrentiels sont la rapidité de la livraison (puisque la plupart des concurrents sont étrangers et exportent leurs produits ici), le service à la clientèle et l'emballage des produits, particulièrement celui des crayons de couleur.

Les marchés cibles et les objectifs

Nos trois marchés cibles sont le marché des affaires, le marché scolaire et le marché commercial. Nos objectifs sont d'accroître nos ventes de 5 % par année, d'assurer notre survie grâce à un profit minimum de 5 % par rapport aux ventes. Nous voulons une part de marché de 20 %. Nos objectifs de positionnement n'ont jamais été très bien établis.

Les stratégies

Les stratégies fondamentales
Nous avons une stratégie de segmentation, mais notre stratégie de positionnement n'est pas vraiment définie. Nos stratégies quant à la concurrence consistent surtout à regarder de près ce que font les gros concurrents et à les imiter.

Les stratégies de mix de marketing
Produits de qualité; plusieurs promotions auprès des distributeurs, stratégie de prix persuasive.

Exemple 3.3 L'analyse de l'environnement interne (l'orientation et les stratégies)

3.5 L'ANALYSE DU MANAGEMENT DU MARKETING

La dernière partie de l'analyse interne consiste à jeter un regard critique sur les pratiques de management du marketing, à savoir le processus de la planification, l'organisation, la mise en œuvre et le contrôle. Comment le responsable du marketing assure-t-il la gestion de la fonction marketing? Vous trouverez, au tableau 3.4, des questions qui vous aideront à faire l'analyse du management du marketing dans votre entreprise. Des réponses types sont fournies à l'exemple 3.4. Après avoir lu les questions, procédez à l'analyse du management du marketing de votre entreprise.

L'ANALYSE DE L'ENVIRONNEMENT INTERNE
LE MANAGEMENT DU MARKETING

La planification

Faites-vous un véritable plan de marketing stratégique ?
Qui est responsable de rédiger ce plan ?
Votre plan est-il plus un exercice de prévision des ventes qu'un plan ?
Votre processus de la planification du marketing est-il efficace ?
Votre personnel est-il informé du plan de marketing stratégique ?

L'organisation

Le responsable du marketing a-t-il rempli sa tâche de façon efficace ?
A-t-il les ressources et les outils pour bien accomplir ses fonctions ?
La structure organisationnelle du marketing (fonction, produit, marché, etc.) est-elle la meilleure structure ?
La fonction marketing est-elle bien intégrée ?
S'intègre-t-elle bien à la production ? À la finance ? Aux ressources humaines ?

La mise en œuvre

Les échéanciers sont-ils respectés ? Sinon, pourquoi ?
Les procédures et les politiques de marketing sont-elles efficaces ?
Le personnel en contact avec la clientèle a-t-il la marge de manœuvre nécessaire pour réagir promptement et efficacement ?

Le contrôle

Les budgets de marketing sont-ils respectés ? Sinon, pourquoi ?
Les budgets de marketing sont-ils suffisants ?
Les systèmes de gestion sont-ils efficaces ?
Le système d'information marketing est-il efficace ?
La planification du marketing est-elle efficace ?
Le contrôle du marketing est-il efficace ?
Avez-vous les bons outils pour mesurer les résultats des activités de marketing ?
Fournissez-vous au moins un effort en ce sens ?

Tableau 3.4 La grille d'analyse de l'environnement interne (le management du marketing)

LE MANAGEMENT DU MARKETING DE GRAPHIX

La planification

Honnêtement, nous n'avons jamais fait un plan de marketing stratégique par écrit. Nous faisons toutefois des prévisions de ventes pour le budget et nous planifions diverses activités de marketing (catalogue, liste de prix, promotions spéciales pour les intermédiaires).

L'organisation

Jacques est responsable du marketing, mais sa fonction de directeur des ventes exige tout son temps. Bruno, en tant que pdg, s'occupe de certains des gros comptes. Il y a confusion à l'occasion. Il n'y a aucun responsable en titre des produits. La production reçoit ses instructions de Jacques, de Bruno et de Marc (service à la clientèle) et on ne sait pas toujours à qui accorder les priorités.

La mise en œuvre

En général, les échéanciers sont respectés, sauf la promotion de « retour en classe » en raison des vacances d'été. Il faudrait s'y prendre plus tôt. Nous n'avons pas vraiment de procédures pour le retour des marchandises. Les politiques de remises sont inexistantes, chaque représentant procède à sa façon. Nous n'informons pas nos représentants suffisamment à l'avance des promotions : nous perdons ainsi beaucoup d'efficacité.

Le contrôle

Le budget de marketing n'est pas très détaillé, il est difficile de bien contrôler les dépenses. Le plus gros problème, de l'avis de nos représentants, est que le budget de marketing n'est pas assez élevé. Nous ne faisons pas assez d'efforts pour courtiser les consommateurs, auprès de qui notre notoriété est faible. Nous ne maximisons pas les résultats des activités de marketing.

Exemple 3.4 L'analyse de l'environnement interne (le management du marketing)

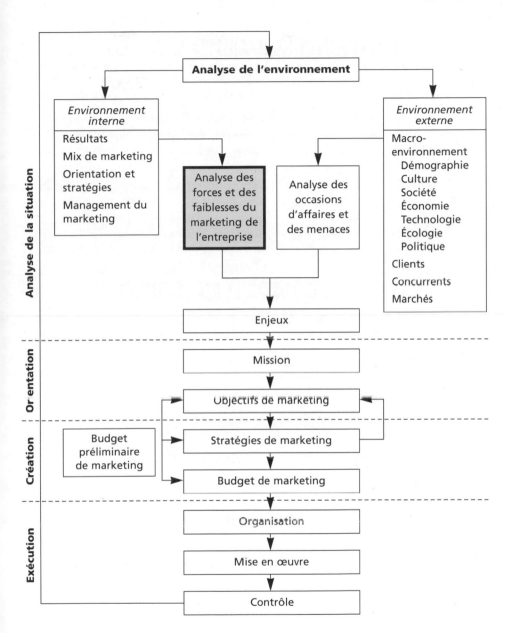

Figure 3.3 Le processus de la planification du marketing

3.6 L'ANALYSE DES FORCES ET DES FAIBLESSES DU MARKETING DE L'ENTREPRISE

Les questionnaires des grilles d'analyse de l'environnement interne vous auront permis de mieux connaître votre entreprise. Vous êtes maintenant en position de vous interroger sur ses forces et ses faiblesses sous la perspective du marketing (figure 3.3). Une telle analyse vous permettra de cerner les capacités de l'entreprise de même que ses lacunes. Le choix des stratégies sera influencé par cette analyse. À l'exemple 3.5, nous vous donnons un compte rendu des principales forces et faiblesses de l'entreprise Graphix, à partir de l'analyse des exemples 3.1 à 3.4. Vous-même ayant effectué l'analyse de l'environnement interne de votre entreprise, vous êtes en mesure de cerner ses principales forces et faiblesses et d'en rédiger un bref sommaire.

L'ANALYSE DES FORCES ET DES FAIBLESSES DU MARKETING DE GRAPHIX

Les principales forces

Contrairement à la concurrence qui se trouve à l'étranger, Graphix est située au Québec. Cette situation permet des livraisons rapides et un bon service à la clientèle au Québec et au Canada. Bonne image de l'entreprise auprès des intermédiaires. Bon réseau de distribution, sauf dans les Maritimes. Bonne qualité des produits. Personnel compétent.

Les principales faiblesses

Le segment des affaires est en perte de vitesse. Les ventes de crayons à mine noire baissent et la demande semble décroître. Nos coûts de main-d'œuvre sont élevés (comparativement à ceux au Mexique et en Europe de l'Est). Nous ne moulons pas tous nos instruments à dessin, et la concurrence est vive. Nous ne misons pas assez sur notre bon positionnement auprès des intermédiaires, et notre positionnement est flou auprès des clients (tant les entreprises que les particuliers), quoiqu'il soit assez précis dans le marché scolaire. Nous devons faire des efforts pour améliorer plusieurs pratiques de management de marketing afin de devenir plus productifs.

Exemple 3.5 L'analyse des forces et des faiblesses

CONCLUSION

Dans ce chapitre, nous avons vu comment procéder à l'analyse de l'environnement interne de l'entreprise. L'analyse de l'environnement interne est composée de quatre volets : l'analyse des résultats (ventes, rentabilité, satisfaction de la clientèle et objectifs) ; l'analyse du mix de marketing (produits ou services, prix, distribution, communication, personnel en contact avec la clientèle, et les programmes qui en découlent) ; l'analyse de l'orientation de l'entreprise (mission, positionnement, objectifs et marchés cibles), l'analyse des stratégies de marketing (fondamentales et de mix de marketing) ; et finalement, l'analyse du management du marketing (planification, organisation, mise en œuvre et contrôle). À la suite de ces analyses, il est possible de faire ressortir les forces et les faiblesses de l'entreprise.

Dans le prochain chapitre, nous nous tournons vers l'analyse externe de l'entreprise.

Chapitre 4

L'analyse de
l'environnement
externe

4.1 POURQUOI FAIRE L'ANALYSE DE L'ENVIRONNEMENT EXTERNE ?

L'analyse du milieu est essentielle. En effet, le marketing se doit d'assurer un rôle de vigie. Le responsable du marketing doit bien connaître l'environnement externe de son entreprise et les changements qui y interviennent constamment, et ce, afin d'adapter en conséquence l'offre de l'entreprise. L'analyse du milieu a une influence cruciale sur le choix des stratégies de marketing de l'entreprise. L'analyse comprend quatre composantes (figure 4.1) :

- L'analyse du macro-environnement ;

- L'analyse des clients ;

- L'analyse des concurrents ;

- L'analyse des marchés.

L'objectif de ces analyses est de comprendre les grands changements du milieu de l'entreprise afin de cerner les occasions d'affaires et les menaces possibles.

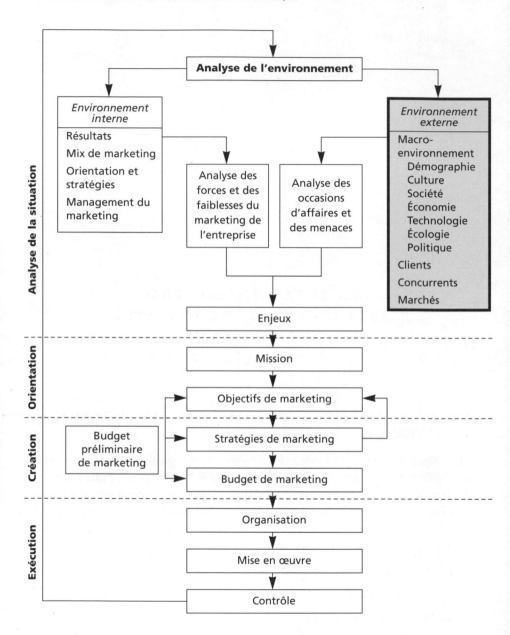

Figure 4.1 Le processus de la planification du marketing

La figure 4.2 présente les éléments de l'analyse de l'environnement externe.

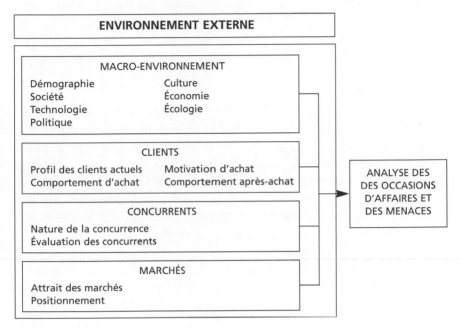

Figure 4.2 L'analyse de l'environnement externe

4.2 L'ANALYSE DU MACRO-ENVIRONNEMENT

La première étape de l'analyse de l'environnement externe de l'entreprise consiste à tisser la toile de fond de cette dernière en examinant le macro-environnement, c'est-à-dire la démographie, la culture, la société, l'économie, la technologie, l'écologie et la politique.

Le macro-environnement, à première vue, ne paraît pas toujours influer sur votre entreprise. Pourtant, toute entreprise — qu'elle soit manufacturière ou de services, qu'elle fasse affaire avec des consommateurs ou avec des organisations — est concernée par l'influence qu'ont sur la demande les facteurs qui composent le macro-environnement.

L'objectif de cette analyse est de comprendre les grands changements du milieu afin de cerner les menaces possibles et de repérer des occasions d'affaires. Il s'agit de percevoir les tendances qui sont pertinentes pour l'entreprise.

4.2.1 L'environnement démographique

L'étude du profil démographique des marchés est une façon simple de commencer à connaître le marché. Elle permet de cerner d'une façon générale les segments de marché qui offrent le plus de potentiel, ou encore d'ajuster l'offre en cas de marchés en décroissance. La démographie influence la demande dans le marché immobilier, les loisirs, les services financiers, etc.[2]

Les aspects démographiques les plus importants sont au nombre de trois. Le premier, qui a déjà commencé à façonner l'économie de façon marquée, est la faible croissance de la population. La croissance de la demande en général sera donc faible, ou même nulle dans certains secteurs économiques, pour les prochaines années. Cela entraînera l'augmentation de la concurrence : une des façons d'accroître son volume d'affaires est en effet d'aller chercher une partie de celui de ses concurrents. Or, il en coûte cinq à six fois plus cher pour aller chercher de nouveaux clients que pour maintenir les clients que l'on a déjà. Il résulte de cette situation une pression montante pour conserver la clientèle actuelle, d'où l'intérêt du marketing relationnel. Le marketing relationnel consiste à établir des relations privilégiées avec les clients les plus importants et qui offrent le plus de potentiel, et ce, dans le meilleur intérêt des deux parties.

Le deuxième aspect démographique est le vieillissement de la population : un bouleversement profond de la structure par âge est commencé et se poursuivra pendant de nombreuses années, ce qui a pour effet l'augmentation rapide du nombre et de la proportion des personnes âgées. En 1991, 12 % de la population avait plus de 65 ans et ce pourcentage pourrait atteindre 25 % en 2041, passant de 3,2 millions en 1991 à plus de 6 millions en 2016. Le nombre des 85 ans et plus devrait doubler de 1993 à 2016. L'âge médian de la population devrait passer de 33,9 ans en 1993 à 40,4 ans en 2016. L'âge moyen des hommes, qui était de 74,8 ans en 1993, devrait passer à 78,5 en 2016 et celui des femmes de 81,3 à 84,1[3]. Les femmes vivent plus longtemps, soit un ratio de 138 femmes pour 100 hommes de 65 ans, et il y a déjà deux femmes de 80 ans et plus pour un homme. Les segments de marché de personnes âgées, surtout celui des femmes, connaîtront donc une croissance relative

---

2   Pour une analyse plus poussée, voir Foot, David, K., *Entre le boom et l'écho*, Boréal, Collection Info Presse, 1996.

3   Statistique Canada, Projections démographiques pour le Canada, les provinces et les territoires, 1993-2016, no de cat. 91-250, Ottawa, 1994.

importante, ce qui créera une demande pour un certain type de logement, pour des services financiers, pour des services de soins de santé et de soutien, pour les loisirs et les voyages de même que pour d'autres produits et services spécialisés.

Le troisième aspect de l'environnement démographique est la mobilité de la population. Un Québécois sur deux déménagera dans les cinq prochaines années[4]. Ce n'est là qu'un indice de la grande mobilité des gens. On assiste également à des mouvements de population vers les banlieues et les banlieues éloignées. Cela crée de la demande pour des moyens de transport, des services auxiliaires et des moyens de communication.

4.2.2 L'environnement culturel

L'immigration résulte des conditions précaires qui sévissent dans certains pays moins développés, de la plus grande mobilité des populations et de politiques d'immigration plus libérales. L'immigration cause des changements cuturels importants dans les pays d'accueil d'Amérique et d'Europe. La croissance des groupes ethniques et religieux a marqué la structure sociale du Québec et du Canada au cours des dernières décennies. Ainsi, 56,6 % des Canadiens sont d'origine autre que française (22,7 %) et britannique (20,7 %)[5]. À Montréal, la moitié des enfants inscrits dans les écoles de la CECM sont de souche autre que québécoise. Certaines caisses du Mouvement Desjardins offrent des services en six langues et le CLSC de Brossard offre des services en chinois. Certains entrepreneurs y trouvent des créneaux intéressants, comme des épiceries spécialisées.

4.2.3 L'environnement social

L'environnement social a surtout été marqué par l'arrivée de femmes plus scolarisées sur le marché du travail et par de nouvelles structures de ménage. On attribue aux femmes de 15 ans et plus près des trois quarts (72 %) de la croissance des emplois au cours des deux dernières décennies. Le nombre total des femmes occupant un emploi s'est accru de 65 % ; elles composent 45 % de la main-d'œuvre totale, comparativement à 30 % en 1975[6]. Les femmes sont

---

4   Statistique Canada, Mobilité, no de cat. 93-108, Ottawa, 1989.

5   Statistique Canada, Langue parlée à la maison et langue maternelle, no de cat. 93-317, Ottawa, 1993.

6   Statistique Canada, Tendances sociales canadiennes, printemps, no de cat. 11-008F, 1993.

aussi beaucoup plus scolarisées ; elles comptaient pour 40 % des inscriptions dans les universités en 1970 par rapport à 57 % en 1993[7]. À l'Université du Québec à Montréal, ce pourcentage atteignait 59,4 % à l'hiver 1997[8].

Notre environnement social a aussi été modifié par des changements importants dans la structure traditionnelle de la famille. Il y a moins de mariages, plus de divorces et de séparations. Le taux de nuptialité au Québec est un des plus bas du monde. Il y a près de 2,3 millions de ménages à une personne au Canada et 15 % des familles sont monoparentales[9]. Les couples ont peu d'enfants, soit 1,66 comparativement au nombre 2,1 requis pour garantir le remplacement des générations[10]. Les nouvelles mères sont maintenant âgées de 30 à 34 ans[11]. Chaque entreprise pourra cerner à la fois des occasions d'affaires et des menaces dans ces importants changements sociaux.

4.2.4 L'environnement économique

La déréglementation et la mondialisation des marchés qui vont de pair avec la révolution technologique, l'évolution des modes de vie et la faible croissance économique mondiale ont toutes eu une influence sur l'économie québécoise et canadienne. L'économie de la prochaine décennie sera influencée par un environnement instable, éphémère et chaotique.

Parmi les variables à caractère économique, certaines sont particulièrement importantes. Premièrement, les ententes internationales telles que l'Organisation mondiale du commerce (OMC) et l'ALENA ont eu et auront une répercussion certaine sur plusieurs entreprises : potentiel accru d'exportation, mais aussi concurrence plus forte.

Une deuxième variable économique est la faible croissance des économies mondiale, nationale et locale. La récession des années 90 est un indice de cette situation. Ce contexte résulte en un taux de chômage élevé et en des emplois précaires, surtout chez les jeunes. Cette instabilité empêche les jeunes de

---

7 Statistique Canada, Tendances sociales canadiennes, hiver, n⁰ de cat. 11-008F, 1995.

8 Université du Québec à Montréal, Rapport du Bureau du registraire, Montréal.

9 Statistique Canada, Recueil statistique des études de marché, n⁰ de cat. 63-224, Ottawa, 1995.

10 Statistique Canada, Rapport sur l'état de la population du Canada, La conjoncture démographique, n⁰ de cat. 91-209, Ottawa, 1996.

11 Statistique Canada, Tendances sociales canadiennes, hiver, n⁰ de cat. 11-008F, 1995.

s'établir de façon permanente. Cela diminue leur apport au développement économique, puisqu'ils s'engagent moins dans des investissements à long terme comme l'achat d'une maison. On voit aussi augmenter le travail autonome. On estime qu'en l'an 2000 près de 25 % des travailleurs au Québec seront des travailleurs autonomes; d'ailleurs, les institutions financières ont mis sur pied de nouveaux services financiers à leur intention. On trouvera là à la fois des menaces et des occasions d'affaires : par exemple, le nombre de bureaux à domicile s'accroîtra.

Une troisième variable économique a trait à l'importance des services dans l'économie. Au Québec et au Canada, le secteur des services compte pour les trois quarts des emplois, ce qui se compare à plusieurs pays postindustrialisés. Toutefois, ce pourcentage est passablement plus élevé que celui des services dans les pays dont l'économie est relativement vigoureuse, comme le Japon et l'Allemagne. Il y a donc tout lieu de croire que nous arrivons à l'apogée de la croissance de ces services, ou du moins de son taux de croissance. Pour cette raison, les gouvernements favorisent le développement des entreprises manufacturières, en misant sur l'innovation et la technologie.

4.2.5 L'environnement technologique

La technologie a changé la façon de voir des gens et la façon de faire des entreprises. L'introduction de nouvelles technologies a accéléré la croissance de certains secteurs économiques et la décroissance d'autres. Le taux de changement technologique ne cesse de croître. Chaque entreprise et chaque secteur industriel doit surveiller les occasions d'affaires autant que les menaces causées par l'apparition de nouvelles technologies.

La technologie est la cause directe d'un changement important dans le mode de travail. Le travail itinérant change (les représentants utilisent téléphones cellulaires et télécopieurs dans leur automobile et leur ordinateur à domicile pour prendre connaissance de leur courrier électronique). Le travail à domicile est de plus en plus populaire, non seulement à cause de la croissance du nombre de travailleurs autonomes, mais aussi parce que des entreprises acceptent que leurs employés travaillent à l'occasion à domicile et certaines encouragent même leurs employés à le faire. Le télétravail est désormais possible grâce à l'arrivée de l'autoroute électronique. L'autoroute électronique permet également d'informatiser les systèmes de commandes, les systèmes de paie et accroît la transmission de données électroniques.

Ainsi, la technologie influence le mode de vie des gens. Elle présente des menaces pour certaines entreprises et offrent des occasions d'affaires pour d'autres qui savent relever le défi technologique.

4.2.6 L'environnement écologique

L'environnement naturel s'est détérioré au cours des dernières années. Les gens sont de plus en plus sensibilisés aux problèmes écologiques : le niveau élevé de pollution (air et eau) ; la pénurie potentielle des matières premières renouvelables mais limitées, telles les forêts et la nourriture, et de matières premières non renouvelables comme le pétrole et certains minéraux et métaux ; et enfin la problématique de la demande accrue et des coûts croissants de l'énergie.

Les consommateurs étant plus conscients, informés et sensibles aux problèmes écologiques exercent des pressions tant sur les entreprises que sur les gouvernements pour que ces derniers accordent une meilleure protection à l'environnement, sauvegardent les ressources et préservent le milieu de vie. Il en résulte des contraintes, voire des menaces et des obligations pour les entreprises, mais aussi des occasions d'affaires.

4.2.7 L'environnement politique

Les décisions de marketing sont également influencées par l'environnement politique. Ainsi, le contexte politique général peut être une source de mobilisation collective ou d'incertitude. L'endettement excessif de l'État, la recherche d'un déficit zéro, et son désengagement dans plusieurs secteurs influent beaucoup sur l'économie. Le milieu politique fait pression sur les ententes commerciales internationales et sanctionne les lois. Les gens d'affaires doivent composer avec des lois sur les pratiques d'affaires, la publicité, la santé et la sécurité, de même qu'avec des normes sur les produits. De plus en plus de lois visent aussi à protéger l'environnement. Les orientations politiques peuvent s'avérer des occasions d'affaires importantes, comme ce fut le cas pour beaucoup d'entreprises grâce aux lois de protection de l'environnement. Pour d'autres, les lois sont des contraintes ou même des menaces.

Vous trouverez, au tableau 4.1, des questions qui vous aideront à effectuer l'analyse du macro-environnement de votre entreprise ; celle de Graphix est présentée à l'exemple 4.1.

L'ANALYSE DE L'ENVIRONNEMENT EXTERNE
LE MACRO-ENVIRONNEMENT

La démographie

Quels changements démographiques créent des menaces pour votre entreprise ? Des occasions d'affaires ?
Comment l'entreprise répondra-t-elle à la faible croissance des marchés ?
Au vieillissement de la population ? À la mobilité de la population ?
Y a-t-il d'autres changements démographiques qui affecteront les marchés de l'entreprise ?
Comment l'entreprise réagira-t-elle ?

La culture

Les nouvelles structures culturelles de la société affectent-elles les modes de vie et les valeurs des clients de l'entreprise ?
Une partie importante de vos clients fait-elle partie d'une minorité ethnique ? Si oui, comment réagir ?
Les groupes religieux offrent-ils un potentiel ou une menace ?
Les groupes culturels ont-ils une influence possible sur l'entreprise ? Sont-ils une source de menaces ou d'occasions d'affaires ?

La société

Le marché des femmes est-il considéré de façon particulière dans votre entreprise ?
Et les nouvelles formes de ménages ?
Y a-t-il d'autres changements sociaux qui affectent l'entreprise ? De nouveaux modes de vie ?
Quelles actions l'entreprise devrait-elle entreprendre face à ces changements et tendances ?

L'économie

Quels sont les principaux changements économiques qui affectent votre entreprise ?
Avez-vous modifié vos façons de faire à la suite des ententes de l'ALENA ?
De l'OMC ?
L'exportation offre-t-elle un potentiel pour vous ?

Comment composez-vous avec la faible croissance économique générale ? Devez-vous modifier vos produits ou services ? Vos prix ?

La technologie

Comment votre entreprise compose-t-elle avec les nouvelles technologies de production ? Avec les nouvelles technologies de l'information ? Avez-vous introduit de nouvelles technologies dans vos produits ou services ?
Quelle est la position technologique de votre entreprise par rapport à vos concurrents ? À vos clients ?
La technologie pourrait-elle causer la substitution de vos produits ou services ? La technologie est-elle une menace ou une source de possibilités ?

L'écologie

Vos produits et services peuvent-ils être sources de pollution ? Que pouvez-vous faire ? Que pouvez-vous faire pour sauvegarder les ressources ?
Trouver des produits substituts ? De nouveaux fournisseurs ?
Quelles sont les menaces pour l'entreprise ?
Y a-t-il des occasions d'affaires ?

La politique

Les lois existantes affectent-elles vos produits ou services ?
De nouvelles lois ou des modifications aux lois actuelles peuvent-elles affecter vos produits ou services ?
Connaissez-vous bien les lois qui peuvent influer sur vos produits et services ?
Pouvez-vous modifier les contraintes des lois en occasions d'affaires ?

Tableau 4.1 La grille d'analyse de l'environnement externe (le macro-environnement)

L'ANALYSE DE L'ENVIRONNEMENT EXTERNE DE GRAPHIX
LE MACRO-ENVIRONNEMENT

La démographie

Il semble y avoir moins d'élèves au primaire et au secondaire. Il y a un intérêt renouvelé pour les métiers et les techniques parmi les jeunes. Le marché du « troisième âge » croît (15 % de la population).

La culture

Les Québécois et les francophones en général au Canada consacrent beaucoup de temps à la télévision et à l'inforoute ; ce phénomène aura sans doute une influence sur la demande des produits associés aux loisirs sociaux et culturels. Plus de la moitié des enfants inscrits dans les école de la CECM sont de souche autre que québécoise.

La société

Il y a plus de femmes sur le marché du travail en général. Il y a un accroissement du taux relatif des femmes dans les programmes techniques et scientifiques. Changements d'habitudes de vie : le « cocooning ».

L'économie

La récession qui n'en finit plus. Les PME créent cinq fois plus d'emplois que les grandes entreprises. Il y a aussi près de 400 000 travailleurs autonomes au Québec. L'ALENA facilite l'exportation, mais il y a possibilité d'importation massive de produits de qualité moyenne à bas prix. La faible valeur du dollar canadien rend les produits étrangers de qualité beaucoup plus chers.

La technologie

La montée des communications électroniques et de l'informatique crée une demande à la baisse pour les crayons à mine noire. Il y a une croissance marquée du travail à la maison (télétravail) et près de 25 % des foyers possèdent déjà un micro-ordinateur. Quel sera l'impact d'Internet sur l'utilisation des crayons et des stylos ?

L'écologie

Il faut étudier la possibilité d'utiliser du carton recyclé pour les emballages. Il faut vérifier le degré de toxicité de chacune des formules de mine.

La politique

On doit vérifier la loi sur les produits dangereux à propos de la toxicité de la composition de la nouvelle mine de couleur. Y a-t-il des contraintes de la loi sur les marques de commerce pour notre nouvelle marque ? Peut-on utiliser l'emballage en plastique pour les ensembles destinés aux enfants ?

Exemple 4.1 L'analyse de l'environnement externe (le macro-environnement)

4.3 L'ANALYSE DES CLIENTS

Pour bien comprendre l'environnement externe de l'entreprise, il est essentiel de bien connaître la clientèle actuelle. La connaissance du macro-environnement ayant permis d'appréhender la toile de fond de l'entreprise, il est logique maintenant de chercher à mieux connaître les clients de l'entreprise. Cela est particulièrement important dans le contexte de la faible croissance démographique et de la croissance économique difficile que nous connaissons au pays ; il y a, répétons-le, peu de nouveaux clients et de nombreux concurrents chercheront à accaparer vos bons clients. Pour bien choisir vos stratégies, il vous faut comprendre comment, quand, pourquoi et où les clients achètent, et qui, précisément, effectue les achats. Vous devez aussi connaître le comportement après-achat de vos clients, et en particulier le degré et les raisons de leur satisfaction ou de leur insatisfaction, de même que la façon qu'ils vous perçoivent par rapport à la concurrence.

L'analyse des clients se compose de quatre parties :

- Le profil des clients actuels ;

- Les motivations d'achat ;

- Le comportement d'achat ;

- Le comportement après-achat.

La connaissance des clients permet de cerner les principaux avantages concurrentiels de l'entreprise et de faire le choix stratégique d'avantages concurrentiels qui permettront de bien se différencier et de positionner ses produits et services par rapport à la concurrence. L'entreprise doit connaître les clients cibles, c'est-à-dire ceux à qui s'adressent particulièrement ses produits ou ses services, et doit savoir comment ils prennent leurs décisions d'achat.

4.3.1 Le profil des clients actuels

Un bon système d'information marketing facilitera la connaissance du profil des clients. De façon plus approfondie que l'analyse des résultats, il s'agit de connaître précisément le volume de ventes et la rentabilité pour chaque client. Éventuellement, on pourra distinguer les clients ou types de clients les plus intéressants et faire des efforts de marketing personnalisé. On peut aussi rencontrer les principaux clients ou les inviter à des activités sportives ou culturelles.

Ou encore, on peut utiliser le publipostage en ciblant les clients offrant le meilleur potentiel. Dans le contexte de la faible croissance de l'économie, nous rappelons que le client le plus important est le client actuel, celui qui a déjà un volume d'achat important et qui est rentable. Il coûte beaucoup plus cher d'aller chercher de nouveaux clients que de conserver les clients actuels[12].

4.3.2 Les motivations d'achat

Un des rôles les plus importants du marketing est de comprendre les motivations et le comportement d'achat de la clientèle. Que recherchent vos clients ? Lors de l'achat d'une ampoule électrique, certains clients voudront payer le moins cher possible, alors que d'autres recherchent une longue durée (500 ou 1 000 heures). Connaître les avantages recherchés par les clients actuels et potentiels est le fondement des choix stratégiques. En effet, nous verrons plus loin qu'une des clés du succès est le choix d'avantages concurrentiels durables et gagnants (par exemple, dans le cas d'une automobile, les choix quant à l'économie à l'achat, à la faible consommation, à la fiabilité, à la traction intégrale, etc.) seront guidés par les résultats des analyses des clients, des concurrents et des marchés.

Reconnaître les avantages gagnants est un premier pas, mais il faut aussi savoir comment votre entreprise et ses concurrents sont évalués par les clients en ce qui concerne ces avantages. En d'autres mots, il faut non seulement connaître l'importance que les clients accordent à divers critères, mais il faut aussi savoir comment les clients actuels et potentiels évaluent votre entreprise et ses concurrents quant à ces mêmes critères. Cette connaissance est nécessaire pour bien choisir le positionnement, comme nous le verrons aux chapitres 5 et 7.

4.3.3 Le comportement d'achat

L'analyse du comportement d'achat suit logiquement l'analyse des motivations. Le processus d'achat se déroule en cinq phases : la reconnaissance des besoins, la recherche d'information, l'évaluation des possibilités, la décision d'achat et le comportement après-achat. La reconnaissance des besoins et des avantages a été faite à l'étape précédente, il faut maintenant déterminer la façon dont les clients obtiennent leurs renseignements, évaluent les diverses possibilités et procèdent à leur achat.

---

12 Pour plus d'information sur ce sujet, voir *La passion du client* d'Yvan Dubuc, dans la même collection.

L'analyse devrait permettre de cerner qui participe à la décision. Dans le cas de biens et de services de consommation, par exemple, qui effectue l'achat ? L'individu seul ou en compagnie d'autres membres de sa famille ? Dans le cas de biens et de services organisationnels, tant un seul individu qu'un groupe de décision peuvent faire l'achat ; s'il s'agit d'un groupe, par exemple, qui fait partie de ce groupe ? Ainsi, le choix d'un système comptable informatisé peut exiger la présence du pdg (le décideur), du comptable de l'entreprise (l'utilisateur) et d'une personne-ressource externe (un influenceur) comme un spécialiste en informatique ou l'expert-comptable (le vérificateur).

De façon plus précise, connaissez-vous le volume d'achat de vos produits ou services par client ? Par qui surtout sont-ils achetés ? Que se passe-t-il ensuite après l'achat ? Qui les utilise ? De quelle manière sont-ils utilisés ?

4.3.4 Le comportement après-achat

L'analyse du comportement après achat comprend trois volets :

- La satisfaction ou l'insatisfaction ;

- Les actions après-achat ;

- L'utilisation subséquente.

Avez-vous mis en place des mécanismes d'évaluation de la satisfaction de la clientèle ? Avez-vous recours à l'utilisation d'un sondage annuel, par exemple ? Comment traitez-vous les plaintes ? Comment réagissez-vous à la suite d'erreurs ? Éviter de connaître le degré de satisfaction de la clientèle, c'est faire l'autruche. S'il y a des problèmes, il vaut mieux les connaître. Les clients mécontents ne se plaignent pas tous, au contraire. La plupart préfèrent changer de fournisseur, c'est là la punition suprême qu'un client inflige à la firme qui offre de mauvais produits ou de mauvais services. Par ailleurs, il faut considérer que la satisfaction des clients sera d'autant plus grande que l'écart entre les attentes et les performances sera étroit. Connaissez-vous les attentes de vos clients (le délai de livraison souhaité, par exemple), votre performance (le délai de livraison réel) et l'écart entre les deux ?

Le degré de satisfaction ou d'insatisfaction influera sur les actions subséquentes des clients. Ces derniers peuvent renouveler ou pas l'achat et peuvent se plaindre ou pas. Il est évident que les clients qui renoncent aux produits ou services sans se plaindre causent beaucoup de tort à l'entreprise. Il faut prendre les mesures nécessaires pour que les clients ne regrettent pas leurs achats, comme le service à la clientèle, le service après-vente, les garanties, les sondages, etc. Ces moyens visent à assurer la satisfaction, et en conséquence, la fidélité de la clientèle. Voyez, dans le cas des produits, la façon dont vos clients les utilisent et par qui ils le sont. Combien de temps les conservent-ils ? Il peut être avantageux également de savoir comment ils en disposent. Ils peuvent les donner, les vendre ou les jeter. Par ces renseignements, vous découvrirez peut-être des utilisations inédites et fort intéressantes. Voilà autant de possibilités qui peuvent représenter tant des occasions d'affaires que des menaces.

Vous trouverez, au tableau 4.2, des questions qui vous aideront à effectuer l'analyse des clients de votre entreprise ; l'analyse des clients de Graphix est présentée à l'exemple 4.2.

L'ANALYSE DE L'ENVIRONNEMENT EXTERNE
LES CLIENTS

Le profil des clients actuels

Quelles sont les principales caractéristiques sociodémographiques/organisationnelles de vos clients ?
La taille ? La classification industrielle ?
Qui sont les clients les plus importants ? Les plus rentables ? Les plus intéressants ?
Pouvez-vous segmenter vos clients ? Et les clients de vos clients ? Quels sont les besoins de vos clients ? Et ceux des clients de vos clients ? Quels sont les principaux avantages et faiblesses de vos produits et services ?

Les motivations d'achat

Pourquoi les clients achètent-ils ? Qu'achètent-ils réellement ?
Quelles sont leurs préférences ?
Existe-t-il des changements dans les motivations ?
Que recherchent vos clients : les avantages, l'innovation ?
Quelle est l'influence des groupes de référence et des groupes sociaux ?
Comment vous comparez-vous avec la concurrence ?

Le comportement d'achat

Connaissez-vous les étapes du processus d'achat de vos clients ?
Qui participe aux diverses étapes du processus de décision ?
Qu'achètent les clients ? À quel prix ? Quelle est la fréquence d'achat ? Où les produits et services sont-ils achetés ? Qui prend les décisions d'achat ?

Le comportement après-achat

Quel est le degré de satisfaction de la clientèle quant à vos produits et services ? Quant au service après-vente ? Quant aux garanties ?
Comment la clientèle évalue-t-elle la qualité de vos produits et services ?
Quelle est la valeur perçue de vos produits et services ?
Comment vous comparez-vous avec la concurrence ? Comment les clients réagissent-ils lorsqu'ils sont insatisfaits ?
Comment disposent-ils de vos produits ?

Comment les utilisent-ils ?

Combien de temps les conservent-ils ?

Combien de temps doit s'écouler entre les prestations des services ?

Devriez-vous rappeler vos clients pour les prochains rendez-vous ?

Tableau 4.2 La grille d'analyse de l'environnement externe (les clients)

L'ANALYSE DE L'ENVIRONNEMENT EXTERNE DE GRAPHIX
LES CLIENTS

Le profil des clients actuels

Plafonnement des ventes dans les grandes chaînes de commerce de détail de produits de bureau. Les entreprises-clubs possèdent une part de marché faible, mais sont en pleine croissance, particulièrement le Club-Affaires. Malheureusement, nous n'avons pas une bonne performance sur ce marché. Les coopératives de détaillants sont en pleine croissance : Bureaupro et Copec sont très présents. Les clients les plus importants sont Bureaupro, Copec, Stetson et Pharmac. Les clients de nos clients sont des gens de bureaux, des étudiants, des élèves et leurs parents ainsi que des travailleurs autonomes.

Le comportement d'achat

Le plus souvent, il s'agit d'un acheteur professionnel. Pour les articles de base, on procède par négociation annuelle et commandes automatisées. Pour les achats modifiés ou les nouveaux achats, le mode est souvent l'appel d'offres, comme ce fut le cas pour la promotion « retour en classe ». Dans le cas de coopératives d'achat, la décision est quelquefois prise par un groupe d'achat formé des propriétaires de commerces membres du bureau de direction.

Les motivations d'achat

Les clients recherchent : un fournisseur fiable, le moins de bris de stocks possible, des prix le plus bas possible, une gamme de produits la plus étendue possible ; un bon service après-vente. On cherche des contrats permanents avec un service automatisé de commandes.

Le comportement après-achat

Notre information provient du bouche-à-oreille des représentants et des plaintes du service à la clientèle. Le plus gros problème est l'expédition de commandes incomplètes. Il y a rarement de plaintes à la suite des transactions finales, mais nous n'utilisons aucun moyen pour évaluer le degré de satisfaction.

Exemple 4.2 L'analyse de l'environnement externe (les clients)

4.4 L'ANALYSE DES CONCURRENTS

L'analyse des concurrents est le troisième volet de l'analyse de l'environnement externe. La concurrence prendra une très grande importance au cours de la prochaine décennie à cause du ralentissement du taux de croissance économique, de la mondialisation des marchés et du faible taux de croissance de la population. La tarte ne grandit plus et plus de gens voudront se la partager. La compétition sera plus vive et il faudra bien connaître les concurrents. Il faut définir la concurrence générique, puis focaliser votre attention sur la concurrence directe.

La concurrence générique comprend toutes les formes de substitution pour un produit ou un service. Ainsi, la concurrence d'un fabricant de poutres d'acier n'est pas seulement le fait d'autres fabricants, car l'acier est souvent remplacé dans la construction par le ciment. La concurrence pour les billets d'avion en classe affaires ne vient pas nécessairement d'une autre compagnie aérienne, c'est aussi la vidéoconférence ! En ce qui concerne la concurrence directe, on cherchera à comprendre les objectifs et les stratégies des concurrents directs, de même que leurs forces et faiblesses.

4.4.1 La nature de la concurrence

La concurrence générique pour Graphix peut se manifester de plusieurs manières (figure 4.3). D'abord, sur le plan des moyens : les gens veulent communiquer et, pour ce faire, ils n'ont pas nécessairement besoin d'un crayon. Ils peuvent communiquer face à face, par téléphone, par télécopieur, par téléconférence, par vidéoconférence ou par courrier électronique. La concurrence est présente aussi en ce qui a trait au type de produits. On peut communiquer par écrit en utilisant un instrument d'écriture : un crayon, un stylo-bille, une machine à écrire ou un ordinateur. Si le stylo-bille est choisi, alors la concurrence se situe sur le plan de la marque : Bic, Paper Mate, Shaeffer ou Mont-Blanc.

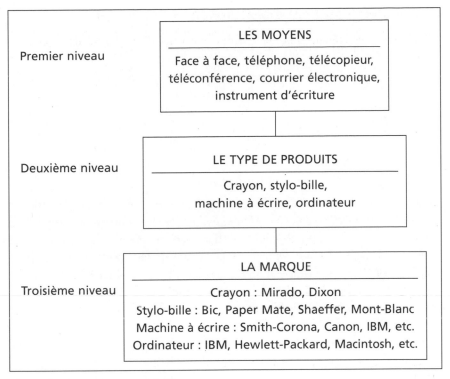

Figure 4.3 La concurrence générique

La définition de la concurrence générique permet d'ouvrir les horizons face à la concurrence. Cela peut permettre de reconnaître une concurrence jusque-là ignorée, mais qui pourrait devenir très menaçante. Ce ne sont pas les autres fabricants de machines à écrire qui ont fait la vie dure à Smith-Corona, mais les ordinateurs et les imprimantes. Télémédia et Radiomutuel ont décidé que, pour sauver leur marché, ils devaient fusionner leurs activités. Si CKAC a éliminé CJMS, ce n'est pas à cause de CKVL et de CBF, mais en raison de la croissance du FM, de la multiplication des chaînes de télévision et de l'arrivée de l'autoroute électronique.

Une seconde façon d'aborder la concurrence, très pratique d'ailleurs, est de regrouper les concurrents qui ont des stratégies semblables dans les mêmes marchés. On appelle ce groupe le groupe stratégique. Ce sont les concurrents directs (c'est-à-dire ceux qui offrent les mêmes produits ou services, qui visent les mêmes marchés cibles de la même manière et qui ont des caractéristiques, des capacités et des compétences relativement semblables à celles de votre entreprise). Comment se compose le ou les groupes stratégiques dont vous faites partie ? Quelle est l'intensité de la concurrence ? L'intensité dépend du nombre de concurrents et de leur dynamisme. Qui sont les concurrents actuels ? Qui sont les concurrents potentiels ? Existe-t-il des barrières pour entrer sur ce marché ? Que pouvez-vous faire pour rendre ces barrières plus difficiles à franchir pour les concurrents (technologie de pointe, main-d'œuvre spécialisée, etc.) ?

4.4.2 L'évaluation des concurrents

Après avoir étudié la concurrence générique et identifié la concurrence directe, l'étape suivante consiste à faire l'évaluation des concurrents directs. Qui sont-ils ? Quel est leur profil (chiffre d'affaires, nombre d'employés, nombre de représentants, etc.) ? Connaissez-vous la culture de leur organisation et leurs valeurs ? Qui sont leurs dirigeants ? Que connaissez-vous de leur orientation stratégique (objectifs, stratégies passées, stratégies actuelles et stratégies prévues) ? Connaissez-vous leur structure de coûts ?

Il ne sera pas facile d'obtenir des réponses précises à toutes ces questions. Mais plus vous en saurez, plus il sera simple de définir les enjeux. Il est essentiel de connaître le mieux possible les concurrents, leurs produits et services et toute information pertinente quant aux prix et aux conditions de vente. Une analyse minutieuse de leurs produits et services permettra de mieux connaître leurs avantages concurrentiels. L'information peut provenir de vos représentants, de représentants de fournisseurs, de Dun and Bradstreet (une agence qui offre les services d'information financière), etc.

L'analyse ne saurait être complète sans la détermination des forces et faiblesses des principaux concurrents, c'est-à-dire ceux qui font partie du groupe stratégique. Savez-vous comment ils réagissent face à la concurrence ou à la suite d'erreurs ? Qui sont leurs principaux clients ? Quelle est la nature de leurs relations avec leurs principaux clients ? À la lumière de ces renseignements, qui vous permettront de cibler certains concurrents et d'éviter la confrontation avec d'autres, vous serez en mesure de décider de vos actions face à votre concurrence. Vous trouverez au tableau 4.3 des questions qui vous aideront à effectuer l'analyse des concurrents de votre entreprise. Le cas de Graphix est présenté à l'exemple 4.3.

L'ANALYSE DE L'ENVIRONNEMENT EXTERNE
LES CONCURRENTS

La concurrence générique

Y a-t-il d'autres façons de satisfaire le même besoin que comblent vos produits et vos services ?
Existe-t-il des produits ou services substituts ?
Qu'est-ce qui pourrait menacer l'entreprise, à part les concurrents directs ?

La concurrence stratégique

Parmi tous les concurrents possibles, quels sont ceux qui ont des stratégies semblables aux vôtres ? Des stratégies concurrentielles semblables ?
Quels sont précisément les concurrents directs actuels ? Potentiels ?
Existe-t-il des barrières au marché ?
Existe-t-il des tendances importantes dans le marché ?

La nature des concurrents

Quels sont la taille, la rentabilité, le taux de croissance et les autres caractéristiques de chacun des principaux concurrents ?
Quels sont leurs objectifs ?
Qui sont leurs principaux clients ?
Quelles sont leurs stratégies actuelles ? Passées ? Futures ?
Quels sont leurs produits et services ?
En quoi consiste leur organisation ? Leur culture organisationnelle ?
Comment réagissent-ils à la concurrence ?
Quelles sont leurs forces ? Leurs faiblesses ?

Tableau 4.3 La grille d'analyse de l'environnement externe (les concurrents)

L'ANALYSE DES CONCURRENTS DE GRAPHIX

La concurrence générique

L'utilisation croissante de l'informatique cause une baisse de la demande du crayon de mine de graphite : le clavier a été substitué au crayon. L'informatique se substitue aussi à certains instruments à dessin. Les crayons-feutres concurrencent le crayon de couleur. Les gens utilisent aussi de plus en plus diverses techniques audiovisuelles pour communiquer.

La concurrence stratégique

Les principaux concurrents sont Penco et Sterol pour les crayons à mine de graphite ; Rainbow et Azur, pour les crayons de couleur ; Alpha, Penco et Sterol pour les instruments de dessin. Dans le marché des affaires, les principaux concurrents sont Penco et Sterol ; dans le marché scolaire, ce sont Penco, Rainbow et Alpha ; dans le marché commercial, ce sont Penco, Sterol et Alpha.

La nature des concurrents

Concurrent : Penco
Ventes de 3,6 millions $ pour 1997, profits de 260 000 $. Penco offre une gamme complète de crayons. Les crayons sont de très bonne qualité, les instruments à dessin sont comparables aux nôtres, mais de moins bonne qualité que ceux de Sterol. Les délais de livraison sont lents, beaucoup de commandes sont incomplètes. Le service après-vente laisse à désirer. Penco offre un service minimal de commandes informatisées. Par contre, Penco a sa propre force de ventes et les vendeurs sont bien formés. Le fait de ne pas avoir de crayons de couleur nuit à Penco. Penco fabrique aux États-Unis et à Taïwan.

Concurrent : Sterol
Ventes de 2,8 millions $, profits inconnus. Sterol est un concurrent dynamique. Les crayons à mine de graphite sont de meilleure qualité que les nôtres, mais Sterol n'a pas de crayons de couleur. La gamme de crayons à mine noire est un peu moins étendue que la nôtre. Sterol organise beaucoup de promotions. Les prix de base sont semblables aux nôtres, mais Sterol est beaucoup plus dynamique pour les remises, les offres de remboursement et

les réductions. Sterol offre différentes possibilités de commandes informatisées. Très bon service après-vente. Délais de livraison moyens.

Concurrent : Rainbow
Rainbow offre une gamme spécialisée mais complète de crayons de mine
et de crayons-feutres pour le coloriage. Produits de qualité acceptable et à
très bas prix. Fabriqués à Taïwan. Ventes inconnues, approximativement
un million de dollars.

Concurrent : Alpha
L'avantage concurrentiel d'Alpha est le prix. La production est faite au
Mexique. L'entreprise offre des produits de qualité plutôt moyenne, dans
une gamme plutôt limitée. Stratégie de marketing plutôt faible, mais le
prix est très gênant. Ventes inconnues, moins d'un million de dollars.

Exemple 4.3 L'analyse de l'environnement externe de Graphix (les concurrents)

4.5 L'ANALYSE DES MARCHÉS

L'analyse des marchés suit celle des clients et celle des concurrents. Ces
dernières vous auront permis déjà de mieux cerner la problématique générale
de l'environnement immédiat de votre entreprise. L'analyse des marchés a
pour but de connaître plus précisément les facteurs d'attrait des marchés et la
position concurrentielle de votre entreprise. Cette démarche comprend deux
étapes : l'évaluation de l'attrait de segments du marché et la détermination de
la position concurrentielle.

4.5.1 L'attrait des marchés : la reconnaissance des facteurs d'attrait et l'évaluation de l'attrait des segments du marché

Le marché est-il attrayant ? La première étape de l'analyse des marchés
consiste à déterminer les facteurs d'attrait des principaux marchés ou plus
précisément des principaux segments du marché (tableau 4.4). Un segment de
marché est un groupe distinct et homogène de clients qui répondent différemment d'autres clients aux diverses stratégies de marketing de l'entreprise et
des concurrents. Mais comment faire pour évaluer l'attrait des marchés ?

On définit d'abord les segments de marché et les facteurs d'attrait des segments, tels que la taille du marché, le taux de croissance, etc. En deuxième lieu, on évalue l'importance relative de chacun des facteurs d'attrait par rapport aux autres ; il faut s'assurer que la somme est égale à 1,00. Cette évaluation est faite par le chef d'entreprise en collaboration avec d'autres employés, comme les représentants des ventes. La troisième étape consiste à évaluer le segment de marché par rapport aux facteurs d'attrait du marché sur une échelle de 1 à 10 (1 étant un marché très peu attrayant). La quatrième étape consiste à calculer la valeur pondérée en multipliant l'importance relative du facteur d'attrait par l'évaluation du segment de marché pour obtenir la valeur pondérée de chaque facteur d'attrait. Finalement, l'attrait du segment est obtenu en faisant la somme de toutes les valeurs pondérées.

L'ANALYSE DE L'ENVIRONNEMENT EXTERNE
LES MARCHÉS

L'évaluation de l'attrait des marchés

Quels sont les segments de marché actuels ou potentiels ?
Quels sont les facteurs d'attrait de ces segments de marché ?
Quelle importance relative accordez-vous à chacun de ces facteurs ?
Comment évaluez-vous votre entreprise par rapport à chacun de ces facteurs ?
Quelles sont les principales tendances ?

La position concurrentielle

Quels sont les facteurs clés de succès selon les clients dans chaque segment ?
Quelle est l'importance relative que les clients accordent à chacun de ces facteurs ?
Quels sont vos principaux avantages concurrentiels ?
Comment les clients évaluent-ils votre entreprise par rapport à chacun de ces facteurs ?
Comment les clients évaluent-ils vos concurrents par rapport aux facteurs clés de succès ? Et votre entreprise ?
Quel est le positionnement de votre entreprise par rapport à vos principaux concurrents ?
Quels segments sont les plus attrayants ?

Tableau 4.4 La grille d'analyse de l'environnement externe (les marchés)

Prenons l'exemple de Graphix (exemple 4.5). Huit facteurs ont été retenus. Le taux de croissance du marché est jugé comme un facteur relativement important (,20) et l'entreprise se trouve dans un marché qui connaît une croissance plutôt forte (8). Il s'agit ensuite de calculer la valeur pondérée pour chaque facteur d'attrait. Par exemple, la valeur pondérée pour le taux de croissance est égale à l'importance relative (,20) fois l'évaluation du segment de marché (8), ce qui donne une valeur pondérée de 1,60 pour le marché commercial. Finalement, on fera la somme des valeurs pondérées pour obtenir l'attrait du marché commercial (6,00). On répétera le même exercice pour chaque segment du marché, c'est-à-dire les marchés scolaire et des affaires. Comme on peut le voir à l'exemple 4.5, le marché commercial est le segment de marché le plus attrayant pour Graphix. Cette information servira à l'élaboration de la stratégie d'offre au chapitre 7.

	Importance relative	Évaluation (1 à 10)	Valeur pondérée
Facteurs d'attrait			
Taille du marché	,20	6	1,20
Taux de croissance	,20	8	1,60
Rentabilité	,15	6	,90
Conditions économiques	,10	4	,40
Intensité de la concurrence	,15	5	,75
Importance de la technologie	,05	6	,30
Contraintes légales	,05	5	,25
Climat politique	,10	6	,60
Total	**1,00**		**6,00**

Exemple 4.4 L'analyse de l'attrait du marché commercial de Graphix

L'ANALYSE DES MARCHÉS DE GRAPHIX
L'ATTRAIT DES MARCHÉS

Les facteurs d'attrait des marchés

Les facteurs d'attrait du marché sont la taille du marché, le taux de croissance, la rentabilité, les conditions économiques, l'intensité de la concurrence, l'importance de la technologie utilisée, les contraintes légales et le climat politique.

L'évaluation de l'attrait des marchés

Segments	Importance relative	Affaires		Scolaire		Commercial	
Facteurs d'attrait	Importance relative	Évaluation (1-10)	Valeur pondérée	Évaluation (1-10)	Valeur pondérée	Évaluation (1-10)	Valeur pondérée
Taille du marché	,20	4	,80	7	1,40	6	1,20
Taux de croissance	,20	2	,40	5	1,00	8	1,60
Rentabilité	,15	7	1,05	3	,45	6	,90
Conditions économiques	,10	5	,50	3	,30	4	,40
Intensité de la concurrence	,15	4	,60	2	,30	5	,75
Importance de la technologie	,05	8	,40	2	,10	6	,30
Contraintes légales	,05	5	,25	3	,15	5	,25
Climat politique	,10	4	,40	3	,30	6	,60
Total	1,00		4,40		3,70		6,00

À la suite de l'évaluation, il s'avère que le segment commercial offre plus d'attrait que les deux autres segments. La raison en est sans doute la croissance des travailleurs autonomes qui achètent leurs fournitures dans les grandes surfaces. Le volume du marché scolaire est toutefois fort important, même si la rentabilité est faible. Par contre, le marché des affaires est le plus rentable. Le marché commercial est en pleine turbulence, et c'est le marché dont le taux de croissance prévu est le plus élevé.

Exemple 4.5 L'analyse de l'environnement externe (l'analyse des marchés : évaluation de l'attrait des segments de marché de Graphix)

4.5.2 La position concurrentielle

Le fait de cerner les marchés attrayants est important, mais cela n'est pas suffisant pour déterminer le marché que l'on devra cibler. L'étape suivante consiste à évaluer la position relative de l'entreprise par rapport à ses concurrents, c'est-à-dire la position concurrentielle. Il faut d'abord reconnaître les facteurs clés de succès (c'est-à-dire la qualité des produits, le service à la clientèle, etc.) dans chacun des marchés ou segments de marchés qui offrent un bon potentiel. Les facteurs clés de succès relèvent d'une dimension différente des facteurs d'attrait de marché que nous avons vus à la section précédente. Ces derniers servaient à mesurer l'attrait d'un marché. Les facteurs clés de succès sont les facteurs jugés essentiels pour réussir sur un marché ou sur un segment de marché. Cela représentera un aspect important dans l'analyse des enjeux par rapport aux forces et aux faiblesses de l'entreprise. Les facteurs clés de succès n'ont pas tous le même poids, certains facteurs sont plus importants d'un point de vue stratégique. Une bonne évaluation de ces facteurs est une nécessité.

Quels sont les facteurs qui, aux yeux de vos clients, rendent votre entreprise meilleure que ses concurrents ? En d'autres mots, quels sont vos avantages concurrentiels ? Un avantage concurrentiel se définit, par rapport à un facteur clé de succès, comme étant un facteur clé de succès important pour les clients et qui fait qu'ils vous perçoivent comme étant meilleur relativement aux concurrents. Une autre question à se poser a trait à l'avenir. Les facteurs importants demeureront-ils les mêmes ? L'entreprise sera-t-elle capable de conserver ses avantages concurrentiels ? L'analyse de la concurrence est fort importante en marketing, car elle permet de définir la position concurrentielle actuelle et le positionnement éventuel souhaité par l'entreprise. Voici comment procéder.

On évalue d'abord l'importance relative de chaque facteur de ce succès ; la somme doit être égale à 1,00 (voir l'exemple 4.6). On évalue ensuite la performance de l'entreprise et celle de ses concurrents. Cette évaluation est faite sur une échelle de 1 (performance beaucoup inférieure à la concurrence) à 10 (beaucoup supérieure à la concurrence). Une évaluation de 5 signifie que la performance de l'entreprise est semblable à celle des concurrents. Ainsi, à l'exemple 4.6, la position concurrentielle de la compagnie Graphix est clairement présentée. Du côté gauche, vous trouverez une liste des facteurs clés de succès, de même que l'importance relative de chaque facteur. Puis, par rapport à chaque facteur clé de succès, vous trouverez un graphique du positionnement actuel de Graphix et des entreprises concurrentes. Par exemple, sur le marché des affaires, Graphix possède un avantage concurrentiel par le service à la clientèle qui est relativement important, mais l'entreprise est plus faible quant au prix (voir exemple 4.7).

Le positionnement de l'offre ou de l'image de l'entreprise est la place que l'offre ou l'image de l'entreprise occupe dans l'esprit des clients actuels ou potentiels. En quoi votre entreprise se différencie-t-elle ? Nous verrons au chapitre 5 en quoi consiste la différenciation et le positionnement. À cette étape-ci, il ne s'agit que de connaître l'évaluation que font les clients des entreprises du groupe stratégique et de votre entreprise par rapport aux attributs ou facteurs clés de succès.

Nous vous suggérons néanmoins de faire un exercice de positionnement de votre entreprise selon votre perception, en essayant toutefois d'être le plus objectif possible. La méthode d'analyse de positionnement consiste à effectuer un graphique de positionnement. Pour ce faire, vous devez d'abord décider des facteurs clés de succès et de leur poids relatif (l'importance relative de chacun des facteurs clés de succès). Cela vous permettra d'allouer vos ressources et vos efforts en fonction des critères les plus importants selon les clients, les facteurs pouvant varier d'un segment de marché à l'autre. Pour chacun des segments de marché, évaluez la performance de votre entreprise et celle des principaux concurrents du groupe stratégique sur une échelle de 1 (beaucoup inférieure à la concurrence) à 10 (beaucoup supérieure). Rappelez-vous qu'il faut faire cette évaluation pour chaque segment parce que votre évaluation et celle de vos concurrents peuvent changer selon le segment. Finalement, tracez une ligne entre chacun des points pour chaque concurrent et votre entreprise. La présentation visuelle de ce graphique est facile à interpréter.

LA POSITION CONCURRENTIELLE

SEGMENT DU MARCHÉ AFFAIRES

Facteurs clés de succès	Importance relative
Qualité des produits	,20
Service à la clientèle	,20
Image de l'entreprise	,10
Délais de livraison	,20
Circuits de distribution	,10
Force de vente	,10
Niveau de prix	,10
TOTAL	1,00

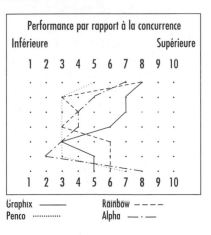

SEGMENT DE MARCHÉ SCOLAIRE

Facteurs clés de succès	Importance relative
Qualité des produits	,10
Service à la clientèle	,15
Image de l'entreprise	,10
Délais de livraison	,15
Facteurs écologiques	,20
Force de vente	,10
Niveau de prix	,20
TOTAL	1,00

SEGMENT DE MARCHÉ COMMERCIAL

Facteurs clés de succès	Importance relative
Qualité des produits	,10
Service à la clientèle	,10
Image de l'entreprise	,15
Délais de livraison	,10
Étendue de la gamme	,10
Circuits de distribution	,10
Automatisation des commandes	,10
Force de vente	,10
Niveau de prix	,15
TOTAL	1,00

Performance par rapport à la concurrence
Inférieure   Supérieure

1 2 3 4 5 6 7 8 9 10

1 2 3 4 5 6 7 8 9 10

Graphix ——   Sterol – – – –
Penco ············   Alpha —·—

Exemple 4.6 L'analyse de l'environnement externe (l'analyse des marchés : position concurrentielle)

LA POSITION CONCURRENTIELLE DE GRAPHIX

• •

Les facteurs clés de succès ont été repérés pour chaque segment de marché ; leur importance relative a été déterminée, et l'évaluation de Graphix et de chacun des concurrents du groupe stratégique a été faite pour chacun des facteurs. La position concurrentielle de Graphix est globalement meilleure sur le marché scolaire, très bonne sur le marché commercial et moyenne sur le marché des affaires. Sur le marché des affaires, il faut continuer à miser sur le service à la clientèle et la qualité des produits et il faut améliorer les délais de livraison et le niveau des prix. Sur le marché scolaire, il faut consolider notre position, ça va bien ; il faut apporter des améliorations, cependant, sur le plan écologique. Sur le marché commercial, il faut consolider la qualité des produits, les services à la clientèle et l'étendue de la gamme et ainsi améliorer l'image de l'entreprise.

Exemple 4.7 La position concurrentielle de Graphix

4.6 L'ANALYSE DES OCCASIONS D'AFFAIRES ET DES MENACES

Les grilles d'analyse de l'environnement externe vous ont amené à mieux connaître votre environnement. Le but de cette analyse du milieu est de vous permettre de reconnaître les occasions d'affaires et les menaces auxquelles peut faire face votre entreprise (figure 4.4). Vous trouverez à l'exemple 4.8 les principales occasions d'affaires et les principales menaces qui concernent Graphix ; ces données ont été obtenues après avoir analysé les exemples 4.1 à 4.6. À vous maintenant de faire l'analyse des occasions d'affaires et des menaces à votre entreprise : quelles sont les occasions d'affaires intéressantes ? Quelles sont les principales menaces ? Certaines menaces peuvent-elles devenir des occasions d'affaires ? Que vous a révélé l'analyse du macro-environnement ? Parmi les changements démographiques, socioculturels, technologiques et autres, certains présentent des occasions d'affaires alors que d'autres menacent peut-être la survie de votre entreprise à long terme, ou même à court terme. Que vous a révélé l'analyse du profil de vos clients ? Devez-vous concentrer vos efforts sur certains clients, en abandonner d'autres ? Comprenez-vous bien leurs motivations et leur comportement d'achat ? Le comportement après-achat révèle-t-il des possibilités ? L'analyse de la concurrence est très importante. La concurrence générique est-elle une source de menaces ou d'occasions d'affaires ? Votre analyse du groupe stratégique vous a-t-elle révélé des possibilités ?

L'analyse des marchés est souvent révélatrice. Quels marchés sont les plus attrayants ? Quels sont les facteurs clés de succès ? Quelle est votre position concurrentielle ? Quels sont vos avantages concurrentiels durables ? Que devez-vous améliorer ? Que devez-vous consolider ? Sur quoi devez-vous miser ?

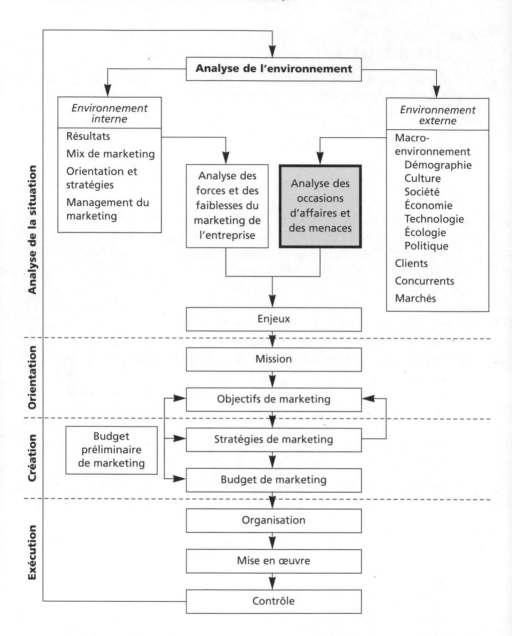

Figure 4.4 Le processus de la planification du marketing

L'ANALYSE DES OCCASIONS D'AFFAIRES ET DES MENACES DE GRAPHIX

Les occasions d'affaires

Dans les marchés actuels : il faut trouver de nouvelles utilisations pour les produits actuels (associés à des jeux, au « cocooning »). Il faut assurer une meilleure pénétration du marché dans les Maritimes. Le marché des affaires est le plus rentable pour nous présentement. Le marché scolaire est le moins rentable, mais à cause du volume important, la contribution aux frais généraux est majeure. Le marché commercial est de beaucoup le plus attrayant. Par contre, le marché commercial est en pleine turbulence : nouvelles formes de commerce de détail ; taux de croissance prévu le plus élevé ; assez bonne rentabilité. Les clients actuels accordent beaucoup d'importance à la distribution et nous avons une très bonne performance dans la plupart des aspects sur ce plan. C'est un avantage concurrentiel important pour nous. La transmission électronique des commandes est devenue un atout majeur dans ce segment. Il faut trouver de nouveaux produits associés aux nouvelles technologies électroniques et informatiques, de nouveaux instruments pour le dessin ; il faut accroître la recherche sur les mines non toxiques, rechercher de nouveaux marchés à l'exportation. Les marchés à grande surface et les magasins entrepôts sont de nouvelles formes de commerce de détail en pleine croissance. Enfin, il faut évaluer les possibilités de diversification qui nous permettraient d'utiliser nos compétences de production et la qualité de notre service à la clientèle.

Les menaces

La faible croissance de la population est une menace en général, mais surtout dans le marché scolaire. Nous subissons de plus en plus les pressions de la mondialisation des marchés, mais surtout celles reliées à l'ALENA : Alpha fabrique au Mexique et Penco pourrait faire de même avant longtemps. Rainbow importe tout de Taïwan. L'utilisation accrue de la technologie réduit la demande pour les instruments d'écriture. La montée de la communication électronique et informatique est une menace. Il faut aussi prendre en considération les préoccupations écologiques face à la pollution et à la pénurie de matières premières renouvelables ; il faut absolument se pencher sur le problème de toxicité des mines, surtout pour

> *le marché scolaire. Il faut surveiller Penco de près sur tous les plans, de même que Sterol, à un moindre degré cependant. Rainbow et Alpha ne sont pas du même niveau, mais leur prix beaucoup plus bas est un avantage concurrentiel majeur, même si la qualité fait défaut. Enfin, il faut considérer que les compressions gouvernementales auront certainement un impact sur notre marché scolaire.*

Exemple 4.8 L'analyse des occasions d'affaires et des menaces de Graphix

4.7 LES ENJEUX

À partir des données que vous avez obtenues par l'analyse de l'environnement interne et externe de votre entreprise, vous êtes maintenant en position de définir les enjeux. Cela consiste à comparer les résultats de l'analyse des forces et des faiblesses de l'entreprise avec ceux de l'analyse des occasions d'affaires et des menaces (figure 4.5).

Y a-t-il des segments où l'intensité de la concurrence ou le pouvoir de négociation des intermédiaires sont trop grands ? Il faudrait éviter les segments où les menaces de produits ou services substituts sont trop marquées, tandis que vous devrez privilégier les segments qui correspondent le mieux aux objectifs et aux ressources de votre entreprise. Dans quels segments votre entreprise se différencie-t-elle le plus de ses concurrents ? Se positionne-t-elle le mieux par rapport aux attributs les plus importants ?

Vous trouverez, au tableau 4.6, des questions qui vous aideront à mieux cerner les enjeux et à cibler vos marchés. L'exemple 4.9 présente les enjeux pour la compagnie Graphix. Le choix des marchés cibles offrant le plus de potentiel est crucial et donne déjà, d'une certaine façon, une orientation stratégique à votre entreprise. Le choix des marchés cibles n'est toutefois pas final. La définition de la mission ou l'évaluation de la mission pourront susciter la remise en question de ce choix. La mission a déjà fait l'objet d'un questionnement lors de l'analyse de l'environnement interne et il faudra peut-être la redéfinir à la suite des analyses de l'environnement interne et de l'environnement externe. Il est possible aussi que le choix des marchés cibles soit réévalué au moment du choix de la stratégie de segmentation que nous verrons aux chapitres 5 et 7.

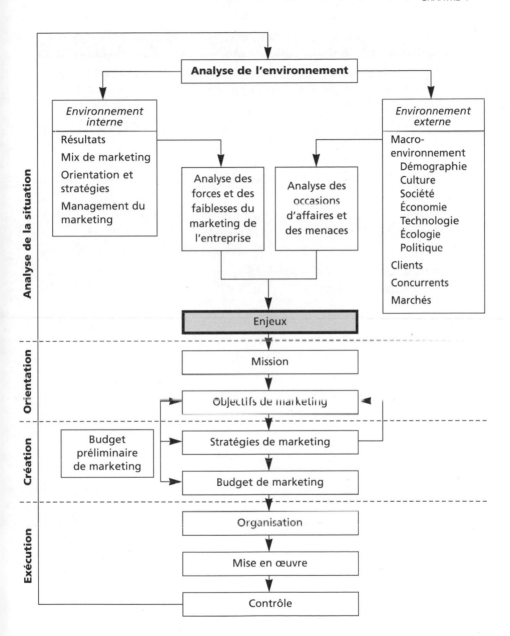

Figure 4.5 Le processus de la planification du marketing

LES ENJEUX

Que vous révèle l'analyse comparative des forces et faiblesses de l'entreprise et des menaces et occasions d'affaires ?

Y a-t-il des actions impératives à faire ? Urgentes ?

Quelles sont les implications de cette analyse sur les stratégies actuelles ?

Y a-t-il des enjeux propres à des segments précis ?

Quels segments ont une taille et une croissance suffisantes ?

Quels segments offrent les meilleures possibilités de marchés ?

Dans quels segments l'intensité de la concurrence est-elle la moindre ?

Dans quels segments votre entreprise se différencie-t-elle le mieux ? Dans quels segments se positionne-t-elle le mieux ?

Dans quels segments les menaces de produits substituts et le pouvoir de négociation sont-ils le moins sérieux ?

Quels segments correspondent le mieux aux objectifs de l'entreprise ? Aux ressources ?

Dans quels segments pouvez-vous le plus compter sur les forces de votre entreprise ?

Quels sont ceux qui vous permettent de minimaliser vos faiblesses ?

Tableau 4.5 La grille des enjeux

LES ENJEUX POUR GRAPHIX

●●●

L'analyse comparative des forces et faiblesses de l'entreprise et des menaces et occasions d'affaires

Il faut miser sur nos forces : qualité des produits et du service à la clientèle, livraisons rapides et fiables. Il faut définir plus clairement notre positionnement. L'automatisation des commandes sera un avantage concurrentiel à court terme, surtout au commencement. Le groupe stratégique est composé de Penco, Sterol et nous. Nos avantages concurrentiels sont la fiabilité et la rapidité des livraisons, la qualité des produits et du service à la clientèle. Il faut améliorer le management du marketing ; il faut faire un plan, en assurer le suivi et assurer une meilleure intégration de nos activités de marketing. Il faut réduire nos coûts et nos prix. Il faut regarder la possibilité de faire une partie de la fabrication au Mexique ou de conclure une alliance stratégique. Il faut se pencher rapidement sur le problème de la toxicité des mines.

Nos trois segments de marché actuels demeurent prioritaires. Sur le marché des affaires, il faut concentrer nos efforts sur Bureaupro. Il faut consolider nos efforts sur le marché scolaire. Finalement, l'effort le plus grand sera fait sur le marché commercial en visant les grandes surfaces et particulièrement les magasins entrepôts. Le choix de nos stratégies devra refléter les avantages concurrentiels que nous avons par rapport à chacun des segments de marché.

Exemple 4.9 Les enjeux pour Graphix

CONCLUSION

L'analyse interne vous aura permis d'interpréter vos résultats. Vous avez évalué votre mix de marketing. Vous avez fait l'audit de votre mission, de vos objectifs et de vos stratégies. Vous avez évalué l'organisation, la mise en œuvre et le contrôle de vos activités de marketing. Vous savez ce que vous faites de bien, et de moins bien. En d'autres mots, vous connaissez les forces et les faiblesses du marketing de votre entreprise (si vous avez été honnête avec vous-même).

L'analyse externe vous aura permis de reconnaître, de comprendre et de prévoir les occasions d'affaires et les menaces actuelles et futures pour votre entreprise. Une occasion d'affaires, ou une menace, peut provenir d'un changement du macro-environnement (démographie, culture, société, économie, technologie ou politique), de nouvelles motivations d'achat ou de nouveaux comportements d'achat ou après-achat des clients, de l'arrivée ou du départ de concurrents, de nouveaux objectifs ou de nouvelles stratégies des concurrents, des besoins changeants des marchés ou de la découverte de nouveaux marchés. L'analyse externe aura également mis en évidence les forces et les faiblesses des concurrents, les facteurs clés de succès, de même que les avantages concurrentiels potentiels de votre entreprise.

Ainsi, par le biais de vos analyses des tendances du marché, des forces et des faiblesses des concurrents et de celles de votre entreprise, vous vous êtes donné les moyens de faire des choix stratégiques de marchés cibles. Ces choix sont essentiels, car vous n'avez pas les ressources nécessaires pour vous attaquer efficacement à tous les marchés potentiels.

L'analyse de l'environnement externe est une partie importante du processus de la planification du marketing. En effet, l'une des responsabilités du marketing est d'évaluer les changements dans l'environnement et d'y repérer les menaces et les occasions d'affaires de sorte que l'entreprise adapte son offre en conséquence.

Si l'analyse est la base du processus de la planification, elle n'est pas aussi excitante que l'est l'étape suivante. Vous entrez maintenant dans la partie créatrice du processus de la planification du marketing stratégique. Vous allez donner une orientation à votre entreprise et choisir les moyens pour réaliser sa mission.

TROISIÈME PARTIE

LES STRATÉGIES DE MARKETING

L'analyse de la situation terminée, vous êtes en position de confirmer l'orientation de votre entreprise ou de lui donner une nouvelle orientation. Il vous faudra être créatif et développer des stratégies différentes et gagnantes : c'est là le cœur du plan de marketing. Les deux prochains chapitres vous apporteront des connaissances de base stratégiques qui vous permettront de rédiger les parties « orientation » et « création » du plan.

Chapitre 5

Les stratégies fondamentales de marketing

Pour que votre entreprise atteigne ses objectifs de marketing, vous devez choisir la bonne orientation stratégique. Les stratégies fondamentales de marketing sont les stratégies de base qui donnent la direction générale que l'entreprise entend se donner pour atteindre ses objectifs. Il y a trois types de stratégies fondamentales : les stratégies d'offre, les stratégies de demande et les stratégies de concurrence. Un bon choix de ces stratégies est essentielle pour élaborer un plan de marketing gagnant.

5.1 LES STRATÉGIES D'OFFRE

Les stratégies d'offre, comme leur nom l'indique, sont centrées sur l'offre de l'entreprise plutôt que sur le marché. Il y a deux types de stratégies d'offre : les stratégies de portefeuille et les stratégies de croissance.

5.1.1 Les stratégies de portefeuille

La gestion d'un portefeuille consiste à gérer des actifs pour obtenir la meilleure croissance réalisable en minimisant autant que possible le risque. Il s'agit de répartir les efforts et les ressources en conséquence. Le portefeuille de vos produits ou services est tout simplement constitué de tous les produits et services de votre entreprise. La définition de portefeuille d'une entreprise peut être faite en fonction du cycle de vie des produits ou services de l'entreprise (figure 5.1).

Les produits et les services suivent un cycle de vie qui exige des stratégies de marketing adaptées aux différentes phases. Le cycle de vie représente les phases distinctes de l'évolution des ventes d'un produit ou d'un service. Quatre phases forment le cycle de vie d'un produit ou d'un service : l'introduction, la croissance, la maturité et le déclin. Le concept de cycle de vie est utilisé pour interpréter la dynamique des produits et des marchés.

Chaque entreprise devrait situer chacun de ses produits et services sur la courbe du cycle de vie. On obtient alors une représentation visuelle du portefeuille de produits ou services de l'entreprise. Le cycle de vie est non seulement un outil d'évaluation stratégique, mais aussi un outil de planification, car les stratégies varient selon l'étape à laquelle se trouve le cycle de vie. Le cycle de vie permet donc d'évaluer le portefeuille et de décider des produits ou services sur lesquels il faut miser, ceux qu'il faut remettre en question ou modifier et ceux qu'il faut éliminer. Il est important d'offrir des produits ou services qui se trouvent à chacune des étapes du cycle de vie, si l'on ne veut pas se retrouver avec une majorité de produits en déclin. Il va sans dire qu'une entreprise dont tous les produits ou services sont en déclin est en sérieuse difficulté. Il est donc recommandé de veiller à équilibrer le portefeuille des produits et des services de l'entreprise par rapport aux différentes étapes du cycle de vie.

Caractéristiques	Phases du cycle de vie			
	Introduction	*Croissance*	*Maturité*	*Déclin*
Ventes	Faibles	Croissantes	Maximales	Déclinantes
Coût unitaire	Élevé	Moyen	Faible	Faible
Profits	Négatifs	Croissants	Élevés	Déclinants
Clients	Innovateurs précoces	Adopteurs de masse	Marché	Retardataires
Concurrence	Limitée	Croissante	Stable	Déclinante

Objectifs de marketing

	Créer la notoriété et favoriser l'essai du produit ou service	Accroître la part de marché	Accroître la rentabilité en maintenant la part du marché	Réduire les dépenses et récolter les profits

Stratégies de mix de marketing

Produit ou service	Produit de base	Extension du produit, du service à la clientèle et de la garantie	Variété de marques et de modèles	Étalage
Prix	Coût plus marge	Prix de pénétration	Prix concurrentiel	Réduction du prix
Distribution	Sélection	Extension	Plus extensible	Sélection
Publicité	Créer la notoriété parmi les adopteurs précoces et les vendeurs	Créer la notoriété et l'intérêt sur le marché de masse	Mettre l'accent sur les différences et les avantages de la marque	Réduire au minimum nécessaire pour retenir les clients les plus fidèles
Promotion	Utiliser une promotion énergique pour favoriser l'essai	Réduire pour profiter de la forte demande	Accroître pour encourager le changement de marque	Réduire au minimum

Source : Adapté de Philip Kotler, Pierre Filiatrault et Ronald E. Turner, *Le management du marketing*, Gaëtan Morin éditeur, Boucherville, Québec, 1994, p. 553.

Figure 5.1 Le cycle de vie d'un produit ou d'un service

5.1.2 Les stratégies de croissance

Les stratégies de croissance, un autre type de stratégies d'offre, sont les stratégies de pénétration du marché, les stratégies de développement de produits, les stratégies de développement de marchés et les stratégies de diversification. Cette matrice est utile pour aider à créer différentes options stratégiques.

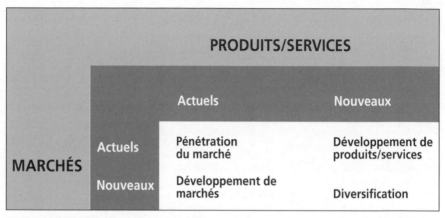

Figure 5.2 Les stratégies de croissance

• La pénétration du marché

La première stratégie de croissance est la pénétration du marché. Les trois quarts des PME qui ont connu du succès au Canada utilisent une ou des stratégies de pénétration du marché[13]. Cette stratégie consiste à faire mieux avec les produits ou services que l'entreprise offre déjà dans les marchés qu'elle connaît. Elle mise donc sur les forces de l'entreprise. Quelles sont les principales façons de pénétrer ces marchés? Les possibilités les plus souvent utilisées pour accroître la pénétration du marché sont au nombre de six :

---

13 Statistique Canada, Stratégies de réussite : Profil des petites et moyennes entreprises en croissance au Canada, no de carte 61-523R-F, Ottawa, 1994.

Offrir des produits ou services moins chers	*sur une base régulière ou à l'occasion de soldes;*
Accroître la fréquence d'achat	*par exemple, par la création d'un club;*
Trouver de nouvelles utilisations	*l'exemple classique est le bicarbonate de sodium (la « petite vache ») qui est utilisé dans la cuisine et dans le réfrigérateur;*
Accroître la quantité à l'achat	*offrir les produits dans un emballage double;*
Inciter les non-utilisateurs à utiliser	*offrir un essai gratuit;*
Convaincre les clients des concurrentsd'utiliser vos produits et vos services	*échanger un produit concurrent contre votre produit, accepter les coupons de vos concurrents;*
Améliorer la distribution	*accroître les points de vente.*

La première et la dernière possibilité inciteront toutefois les concurrents à réagir plus fortement. De façon générale, on peut dire que les clients actuels sont les meilleurs clients. Les stratégies de pénétration de marché devraient donc privilégier cette clientèle.

• Le développement de produits ou services

La deuxième stratégie est la création de nouveaux produits ou services sur les marchés que l'on connaît. Plusieurs avenues sont possibles. On peut :

Accroître la qualité des produits ou services existants;

Découvrir de nouvelles caractéristiques pour ces produits ou services;

Créer des modèles utilisant des technologies plus avancées;

Mettre au point de nouveaux modèles, de nouvelles tailles ou de nouvelles couleurs, ou de nouveaux types de services.

• Le développement de marchés

La troisième stratégie est l'ouverture de nouveaux marchés. Par ce biais, l'entreprise cherche à augmenter ses ventes en introduisant ses produits et services actuels dans des marchés jusqu'à maintenant inexploités. Le développement peut se faire par :

> L'expansion géographique régionale ou nationale ;
>
> L'exportation ;
>
> Les segments de marchés nouveaux en raison de nouvelles utilisations ou de nouvelles caractéristiques.

• La diversification

La quatrième stratégie est la diversification. Cette stratégie est la plus risquée, puisqu'elle implique d'offrir de nouveaux produits et services à des marchés que l'entreprise ne connaît pas. Il y a fondamentalement deux types de stratégies de diversification :

1. Offrir à de nouveaux marchés de nouveaux produits et services qui offrent une certaine synergie avec la technologie ou le marketing actuels de l'entreprise. Par exemple, une entreprise fabriquant des objets publicitaires en plastique décide de fabriquer des poignées de bain avec le même plastique ;

2. Offrir de nouveaux produits et services, qui ne sont nullement reliés aux produits et services actuels ni à leur technologie, à de nouveaux marchés jamais desservis par l'entreprise. Par exemple, l'entreprise d'objets publicitaires pourrait se lancer dans la restauration. Cette dernière possibilité est évidemment la plus hasardeuse parce que l'entreprise se dirige vers l'inconnu.

Toutes les stratégies d'offre sont d'un intérêt certain, quoiqu'elles se concentrent plutôt sur l'entreprise et ses marchés que sur la clientèle et la concurrence. Considérons maintenant les stratégies de demande qui s'apparentent plus au concept de marketing, puisqu'elles sont orientées avant tout vers le marché et les besoins de la clientèle.

5.2 LES STRATÉGIES DE DEMANDE

Les stratégies de demande sont devenues, au cours des ans, le cœur de plusieurs stratégies de marketing. Les trois principales stratégies de demande sont la segmentation, la différenciation et le positionnement.

5.2.1 La segmentation

La segmentation se fait à partir de l'analyse du marché. Les clients actuels et potentiels des entreprises se distinguent par leurs besoins, leurs préférences, leurs attitudes et leurs comportements, et ce, par rapport à de nombreuses caractéristiques.

Segmenter consiste à découper le marché en des groupes ayant des caractéristiques semblables, chacun de ces groupes réagissant d'une manière particulière à diverses stratégies de marketing. Par exemple, les fabricants de skis ont pour clients des débutants et des experts. Les premiers recherchent des skis faciles à utiliser et à prix raisonnable, les seconds désirent un ski flexible, rapide, dont le prix importe peu.

Il convient ici de revenir sur nos pas. Avez-vous présentement la bonne approche pour aborder votre marché ? Vous trouverez, au tableau 5.1, une liste de variables qui vous guideront pour segmenter vos marchés. Le choix de la stratégie de segmentation est indissociable des choix préliminaires de marché cible que vous avez faits lors de l'analyse externe de l'entreprise. Vos décisions de stratégies de segmentation pourraient vous inciter à reconsidérer les marchés cibles retenus. Le processus est donc itératif.

LES MARCHÉS DES CONSOMMATEURS

Variables démographiques
Âge, sexe, scolarité, type de famille, région, zone urbaine ou rurale

Variables socioculturelles
Classe sociale, langue, ethnie, religion

Variables économiques
Revenus, dépenses, avoirs, prix

Variables contextuelles
Mode de vie, cycle de vie familial, situation d'achat

Variables psychologiques
Avantages recherchés, clientèle, fidélité à la marque ou à l'entreprise

Variables comportementales
Statut d'utilisation, taux d'utilisation, mode d'utilisation

LES MARCHÉS DES ORGANISATIONS

Variables organisationnelles
Type d'organisation (privée, publique, manufacturière, services, intermédiaires, etc.), importance de la technologie

Variables socioéconomiques
Chiffre d'affaires, nombre d'employés, localisation

Variables opérationnelles
Type d'achat (nouvel achat, achat modifié, renouvellement d'achat, composition de groupe d'achat, politiques d'achat)

Variables situationnelles
Taille des commandes, niveau des stocks, fréquence des commandes

Variables financières
Mode de paiement, qualité du dossier de crédit, attitude envers le risque

Variables personnelles
Caractéristiques sociodémographiques, qualité de la relation, style de décision

Tableau 5.1 Les variables de segmentation

Est-il avantageux de segmenter le marché ? Devriez-vous le segmenter ou non ? Existe-t-il des façons plus novatrices d'aborder le marché ? Par rapport à quoi devriez-vous segmenter votre marché ?

La démarche de la segmentation comprend trois étapes :

1) La mesure de l'attrait des segments ;

2) Le choix des marchés ou segments cibles ;

3) Le choix des stratégies de segmentation.

• La mesure de l'attrait des segments

Pour évaluer l'attrait de chaque segment, vous pouvez utiliser la grille d'analyse de l'attrait des segments de marché proposée précédemment au chapitre 4. Vous devez ensuite analyser la concurrence comme nous le verrons plus loin dans ce chapitre.

Deuxièmement, comme nous l'avons déjà vu à propos de l'analyse des marchés, vous devez prendre en considération les facteurs clés de succès pour chaque segment. Que devez-vous absolument posséder pour espérer réussir ? Vous devrez définir les avantages concurrentiels que possède votre entreprise en fonction des attentes des clients. En d'autres mots, déterminez quels sont les facteurs clés de succès dans chaque segment et, par rapport à ces facteurs, voyez si vous êtes en mesure de satisfaire la clientèle mieux que vos concurrents (ou différemment d'eux).

• Le choix des marchés ou segments cibles

Vous avez repéré des segments qui vous semblent attrayants, vous connaissez les facteurs clés de succès et vos avantages concurrentiels ; vous pouvez maintenant tracer le profil des segments en fonction des variables de segmentation mentionnées au tableau 5.1. Par exemple, votre clientèle peut être composée de consommateurs d'âge moyen, assez scolarisés, actifs et qui aiment la nature et le plein air ; ou d'entreprises financières de la région de New York ayant 250 employés et plus, évoluant sur le marché obligataire. Existe-t-il un ou des segments de marchés plus intéressants, pour lesquels vous offrez des avantages concurrentiels, qui présentent moins de risques, qui ont une meilleure rentabilité potentielle, où la concurrence est moins vive ? Généralement, ces questions aboutissent au choix de s'attaquer à deux ou trois segments, ou à celui de ne pas segmenter. Il existe trois stratégies de segmentation.

• Le choix des stratégies de segmentation

Les trois principales stratégies de segmentation sont :

- La non-différenciation ;

- La différenciation ;

- La concentration.

La stratégie de non-différenciation consiste à ne pas tenir compte des différences existant dans le marché. L'entreprise conçoit une offre unique qui répond à l'ensemble des besoins du marché ou qui correspond aux besoins du plus gros segment du marché. On considère que les gains qui pourraient être obtenus en segmentant le marché ne valent pas les efforts requis. On pense, par exemple, à une clinique de physiothérapie qui offre des services à l'ensemble de la population locale, jeunes et vieux, qui ont eu un accident de travail ou un accident en pratiquant un sport.

La stratégie de différenciation consiste à faire une offre distincte à chacun des segments de marché qui réagissent différemment aux diverses stratégies de marketing. Cette stratégie engendre normalement plus de ventes que la stratégie de non-différenciation, puisque l'entreprise répond mieux à des besoins précis dans chaque segment. Nous verrons dans la section suivante les façons de réaliser la différenciation. Les coûts de production, de prestation, de stockage et de mise en marché d'une stratégie de différenciation sont toutefois plus élevés, car l'offre diffère pour chaque segment. Il faut donc étudier avec soin la rentabilité de cette stratégie. Un exemple d'utilisation de cette stratégie est offert par les banques : elles offrent des services différents aux particuliers et aux entreprises, et le marché des particuliers est divisé entre le marché de masse et le marché des bien nantis.

Finalement, une entreprise qui décide de se spécialiser peut choisir de concentrer tous ses efforts sur un segment précis du marché et d'offrir un produit ou un service (ou une gamme de produits ou services) à un marché bien défini (par exemple, des services-conseils en logiciels de comptabilité pour les entreprises du secteur immobilier). Généralement, les raisons pour une entreprise de choisir une telle stratégie sont qu'elle répond très bien aux exigences stratégiques du marché cible, qu'elle offre des avantages concurrentiels marqués, qu'il y a peu de concurrents ou qu'elle possède des ressources limitées. Les avantages de cette stratégie consistent en ce qu'elle permet d'établir une position concurrentielle forte sur le segment de marché retenu et d'obtenir une bonne rentabilité en raison des coûts relativement moins élevés. Le principal désavantage est le risque que cette stratégie comporte : le marché peut s'effondrer, les besoins peuvent changer ou plusieurs concurrents peuvent s'intéresser au segment. Dans ces cas, l'entreprise risque de se retrouver en difficulté, ses activités n'étant pas suffisamment diversifiées.

5.2.2 La différenciation

Une stratégie de différenciation consiste à proposer un produit ou un service qui est différent de celui des concurrents et qui est valorisé par le client. La valeur perçue doit être assez marquée pour influencer le choix des consommateurs et des organisations vers votre entreprise. Dans une optique marketing, il faut absolument développer les éléments de différenciation du point de vue du client et se démarquer des concurrents, ce qui sera facilité si vous avez bien fait vos analyses des clients et des concurrents. Il faudra cependant vous assurer que ce que vous proposez correspond vraiment aux avantages recherchés par les clients.

La différenciation peut se faire de quatre façons :

- Par le biais du produit ou du service de base ;

- Par le biais des produits ou des services de soutien ;

- Par le biais du personnel ;

- Par le biais de l'image de l'entreprise.

Il est possible de différencier le produit ou service de base à partir des caractéristiques du produit ou du service, de sa performance, de sa conformité aux normes, de sa durabilité, de sa facilité d'entretien et de réparation, de son design, etc. Ainsi, la Subaru est une automobile intermédiaire qui offre une traction intégrale.

La différenciation par les produits ou services de soutien est surtout utile lorsque les produits ou les services de base peuvent être difficilement différenciés (par exemple, l'essence ou un compte de chèques). Dans ce cas, la clé du succès dépend souvent des produits ou des services de soutien. Les possibilités sont très nombreuses : l'équipement complémentaire ou auxiliaire, les services attachés aux produits (service avant-vente et après-vente), les promotions, les garanties, l'installation, la formation, les services-conseils, etc.

La différenciation par le personnel peut permettre d'acquérir un avantage concurrentiel distinctif durable. Dans les entreprises de services, c'est souvent là une façon d'obtenir une différence très substantielle, surtout lorsque les services de base et de soutien sont semblables à ceux de la concurrence. Parmi les possibilités de différenciation, on retrouve l'accessibilité, la compétence, la courtoisie, la crédibilité, l'écoute, la fiabilité et la serviabilité.

En dernier lieu, l'entreprise elle-même, ou plutôt son image, par son unicité et son caractère distinctif peut être un facteur de différenciation. Dans cet ordre, l'on trouve les symboles et les logos, les médias d'identité (cartes professionnelles, factures), la création d'atmosphère (décor, matériaux, mobilier) et les publications (rapports annuels, brochures, catalogues).

5.2.3 Le positionnement

La dernière stratégie de demande est le positionnement. Le positionnement est autant une stratégie et un outil de gestion qu'un objectif de marketing. On parle abondamment du positionnement, mais peu de gens conçoivent clairement ce qu'il est.

Nous avons vu que de différencier un produit ou un service consiste à le produire et à le promouvoir de façon à ce qu'il acquiert une valeur distinctive face à la concurrence. La différenciation est préalable au positionnement. Le positionnement est défini par la perception des clients ; le positionnement est fait lorsqu'un grand nombre de clients actuels et potentiels partage la même perception de l'entreprise, telle que cette dernière l'a voulu. **Le positionnement est la reconnaissance, l'élaboration et la communication d'avantages concurrentiels distinctifs et durables.** Ces avantages permettent à l'entreprise d'offrir des produits et services perçus par les clients du marché cible comme étant différents et d'une valeur supérieure à ceux des concurrents. La stratégie de positionnement s'élabore à partir des analyses des marchés, des clients et des concurrents, d'une part, et du choix des stratégies de segmentation et de différenciation, d'autre part. En fait, le choix du positionnement tient compte des avantages concurrentiels de l'entreprise, de la position respective des concurrents telle qu'elle est perçue par les consommateurs et les organisations et des avantages les plus importants recherchés par ces derniers. Le positionnement peut s'exercer entre deux organisations (la Banque Royale par rapport aux Caisses populaires Desjardins ; Nissan par rapport à Toyota) ou, au sein d'une même entreprise, entre différents produits et services ou différentes gammes de produits ou services (la carte de crédit « or » par rapport à la carte régulière ; Tercel par rapport à Camry).

L'élaboration d'une stratégie de positionnement comprend six étapes :

1) La détermination du niveau du positionnement ;

2) La reconnaissance d'attributs clés ;

3) L'évaluation des entreprises du groupe stratégique ;

4) La préparation de la carte de positionnement ;

5) L'évaluation des possibilités ;

6) Le choix stratégique du positionnement.

La première étape consiste à déterminer le niveau du positionnement. S'agit-il du positionnement d'une organisation, d'une gamme de produits ou services, de produits ou services précis, sur l'ensemble du marché ou sur un segment précis du marché (par exemple, la Banque Nationale, les REER de la Banque Nationale, ou Sécuribourse) ?

À la deuxième étape, on doit établir les facteurs clés de succès, soit les particularités les plus importantes que perçoit le marché cible. Par exemple, on parlera, pour un restaurant, de la qualité de la cuisine, de la propreté, de l'atmosphère, de la variété des vins offerts, etc. Ensuite, il faut savoir comment les clients actuels et potentiels évaluent votre entreprise et ses principaux concurrents par rapport aux attributs clés qui représentent les avantages recherchés par les clients et par rapport auxquels vous élaborerez vos avantages concurrentiels. On prépare ensuite une carte de positionnement semblable à la carte de positionnement pour des restaurants que nous présentons à titre d'exemple à la figure 5.3. Les axes retenus sont les attributs clés valorisés par les clients à partir desquels vous avez choisi d'élaborer vos avantages concurrentiels distinctifs et durables.

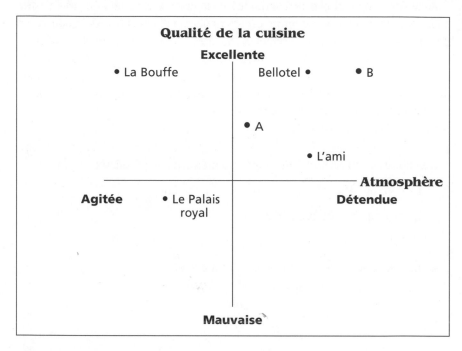

Figure 5.3 Une carte de positionnement

Dans notre exemple, les choix stratégiques de base des restaurants consistent soit à renforcer leur position actuelle (comme pour le Bellotel), soit à se repositionner en partie (comme dans le cas de La Bouffe où une atmosphère plus détendue est souhaitable — ce que le restaurant pourrait obtenir en améliorant l'atmosphère par la modification du décor ou par une meilleure formation du personnel, par exemple). Le restaurant L'ami devrait améliorer la qualité de sa cuisine. Le Palais royal a peut-être un mauvais positionnement, mais une étude plus approfondie peut révéler qu'il existe un marché potentiel intéressant à cette position. On observe également qu'il y aurait peut-être un vide stratégique à combler au point A. Il n'y a aucun restaurant à ce positionnement. Une étude de marché pourrait démontrer qu'il y a une demande pour un type de restaurant particulier.

On pourrait aussi utiliser d'autres axes. Par exemple, un restaurant qui offrirait une vue panoramique devrait voir à accroître l'importance de ce critère pour valoriser cet attribut. Dans ce cas, le positionnement pourrait s'effectuer par rapport au panorama et à la qualité de la cuisine. En fait, les stratégies de positionnement consistent en un premier temps à maintenir ou à modifier les produits et services en fonction des avantages recherchés par les clients et en fonction des avantages concurrentiels. Dans un deuxième temps, il faut faire valoir, par la communication, la position de l'entreprise afin de confirmer ou de changer les perceptions. Le positionnement est perceptuel, subjectif et fluide ; il se construit dans l'esprit des gens.

Il ressort de ces affirmations que le marketer doit avoir une idée très claire, très précise de ce qu'il souhaite que les clients actuels et potentiels pensent de son entreprise, de ses produits et de ses services. Pour cette raison, plusieurs praticiens sont d'avis qu'il est avantageux de rédiger un énoncé de positionnement. Par exemple, l'énoncé de positionnement d'un fabricant d'uniformes pour infirmiers et infirmières pourrait être « Offrir des uniformes de bonne qualité à un prix modéré ».

Nous avons vu que le positionnement est une stratégie, un moyen pour atteindre un objectif. Par exemple, tout moyen pour faire passer Bellotel à la position B (figure 5.3) est une stratégie de positionnement, en fait, de repositionnement ; le restaurant L'ami pourrait aussi chercher à se repositionner à la même place (B), mais l'effort requis serait plus grand. Le positionnement est aussi un outil de gestion. En effet, en forçant l'entreprise à définir le positionnement de ses produits et services, les stratégies du mix de marketing en sont plus cohérentes, mieux ciblées et d'autant plus efficaces. En dernier lieu, on peut considérer que l'énoncé du positionnement peut aisément prendre la forme d'objectifs qualitatifs et même quantitatifs.

Vous avez déterminé des stratégies d'offre et de demande. Plus précisément, vous avez cerné vos marchés cibles et vous avez défini votre ou vos positionnements. Qu'allez-vous faire, maintenant, par rapport à vos concurrents ?

5.3 LES STRATÉGIES DE CONCURRENCE

Tout d'abord, il faut reconnaître qu'il est essentiel de savoir ce que font les concurrents, comme nous l'avons vu lors de la mise en place d'un système de renseignements et lors de l'analyse de l'environnement externe. Il faut aussi comprendre les causes des succès et des échecs des concurrents, de même que les forces et faiblesses de leur entreprise pour savoir comment se différencier. Par contre, imiter la concurrence n'est pas nécessairement une mauvaise stratégie. La première décision à prendre est de savoir si vous allez entreprendre des actions concrètes par rapport aux concurrents ou non. Si c'est non, c'est votre choix, vous aurez choisi une stratégie du genre « vivre et laisser vivre ». Mais vous prenez un risque : ce n'est pas parce que vous voulez ignorer les concurrents que ceux-ci vous ignoreront. Rares sont ceux qui ne s'occupent pas des concurrents de nos jours. En effet, la concurrence s'intensifie partout, en pratique vous n'aurez sans doute pas le choix. Voyons maintenant certaines stratégies qui s'offrent à vous si vous décidez de vous occuper de vos concurrents.

5.3.1 L'analyse de la concurrence

Vous avez déjà analysé la concurrence au moment de l'analyse de l'environnement externe au chapitre 4. Mais depuis ce temps, vous avez peut-être repéré de nouveaux marchés cibles et, possiblement, défini de nouveaux positionnements. Il vous faut maintenant analyser la concurrence en fonction de ces nouveaux paramètres, en particulier en ce qui concerne le groupe stratégique, c'est-à-dire les concurrents directs les plus immédiats qui présentent le plus de dangers. Vous devez identifier ces concurrents directs pour chacun des segments de marché. Ensuite, révisez de façon aussi précise que possible leurs objectifs, leurs stratégies ainsi que leurs forces et faiblesses. Finalement, vous devrez prévoir leurs réactions. En général, on évitera de trop les provoquer pour qu'ils ne réagissent pas trop violemment.

Il y a quatre grands types de stratégies de concurrence : les stratégies de créneau, de suiveur, de « challengeur » et de leader. Le leader occupe la position de tête sur le marché ; les challengeurs occupent une place importante sur le marché, mais ils sont derrière, et quelquefois loin derrière le leader. Les suiveurs sont des joueurs moins importants. Finalement, certaines entreprises épousent une stratégie de créneau.

5.3.2 La stratégie de créneau

La stratégie de créneau est souvent utilisée par les PME. Le choix d'un créneau fait intervenir des dimensions telles que l'utilisateur final, le type de clients, le degré de service à la clientèle, le circuit de distribution, le type de service de soutien, le type de produit ou de service de base et le mode de production. Pour que cette stratégie soit efficace, le créneau doit posséder certaines caractéristiques :

1) Le marché cible doit être attrayant (volume d'affaires et rentabilité) ;

2) Le marché cible doit offrir un potentiel de croissance significatif ;

3) Les attentes du marché cible doivent correspondre aux avantages concurrentiels de l'entreprise qui doit bien répondre à ces attentes ;

4) On doit y retrouver peu de concurrents ;

5) On doit être en position de défendre vigoureusement sa position dans le créneau retenu.

Les PME réussissent quelquefois mieux que les grandes entreprises dans certains créneaux parce qu'elles sont plus flexibles et réagissent plus rapidement que les grandes entreprises. À la suite de nombreuses interventions de réingénierie dans les grandes entreprises, plusieurs de ces dernières ont fait le choix de donner certaines opérations en sous-traitance à des PME. Dans d'autres cas, ce sont des PME qui prennent l'initiative d'offrir leurs services à de grandes entreprises. Les clés du succès sont la qualité du produit et du service, la compétence, le respect des échéanciers et des promesses, le suivi et les bonnes relations.

5.3.3 La stratégie de suiveur

Ce ne sont pas toutes les entreprises qui peuvent, ou qui veulent, être un challengeur ; plusieurs préfèrent suivre les autres. Une entreprise qui choisit une stratégie de suiveur peut être très rentable si elle gère bien ses coûts, car elle réduit ses risques. Le leader et les challengeurs défraient les coûts d'innovation. En choisissant l'approche de suiveur, l'entreprise mise moins sur l'innovation que sur la continuité. Une stratégie importante consiste en la fidélisation de la clientèle. L'entreprise comptera également sur la qualité du produit ou du service, et en particulier sur la qualité du service à la clientèle. Beaucoup d'efforts seront déployés pour l'amélioration des relations avec la clientèle, soit le marketing relationnel.

Suivre ne veut pas dire être inactif, au contraire ; la capacité de réaction est fort importante, l'entreprise doit réagir vite aux changements du marché et aux actions des concurrents. En effet, en choisissant cette stratégie, l'entreprise se met à la merci et même « sous le contrôle » d'autres entreprises. À tout le moins, son évolution est fort liée à celle d'autres entreprises.

5.3.4 La stratégie de challengeur

Une entreprise qui occupe la deuxième, la troisième ou la quatrième place est en position de challengeur. L'objectif principal d'un challengeur est d'accroître sa part de marché. Pour ce faire, le challengeur misera non seulement sur ses stratégies d'offre et de demande, mais il s'attaquera délibérément à un concurrent : soit au leader, soit à un autre challengeur qu'il jugera en position plus faible que la sienne ou en position difficile, soit à de petites entreprises.

5.3.5 La stratégie de leader

Le leader a la part de marché la plus importante et prend normalement l'initiative du lancement de nouveaux produits, de l'ajout de services ou des modifications de prix.

Le leader misera le plus souvent sur une stratégie d'attaque et une stratégie de défense. Son objectif de base est de conserver sa position. Un exemple de stratégie d'attaque est d'accroître la demande primaire (par exemple, Bombardier pour la motoneige ou la motomarine) en recherchant de nouveaux utilisateurs et de nouvelles utilisations ou en convainquant le marché d'accroître le niveau de consommation.

Tout en s'efforçant d'accroître la demande primaire, le leader s'efforcera de contenir les attaques des adversaires grâce à une stratégie de défense appropriée. Il misera sur l'innovation et le contrôle des coûts. Il saura à l'occasion opérer un repli stratégique. Toute action de marketing dirigée vers lui devra être l'objet d'une contre-offensive rapide. La riposte devra être suffisamment vigoureuse pour inciter le challengeur à ne pas contre-attaquer. Le leader doit même être prêt à s'attaquer à un concurrent menaçant avant que celui-ci ne passe à l'action.

CONCLUSION

Dans ce chapitre, nous avons vu que les stratégies fondamentales de marketing sont les stratégies d'offre, de demande et de concurrence. Les stratégies d'offre consistent en des stratégies de portefeuille ou des stratégies de croissance. Nous avons présenté le concept de cycle de vie des produits ou services et vu son importance comme outil d'évaluation stratégique ou comme outil de planification du portefeuille. Nous avons ensuite présenté les quatre stratégies de croissance : la pénétration de marché, le développement de produits, le développement de nouveaux marchés et la diversification.

Les stratégies de demande sont la pierre angulaire du plan de marketing ; ces stratégies consistent en la segmentation, la différenciation et le positionnement. Vous connaissez maintenant les principales variables et stratégies de segmentation, les façons de différencier les produits et services et la manière de développer le positionnement. Une fois choisis les segments, les façons de différencier l'offre de l'entreprise et le positionnement, on peut se préoccuper ou non de la concurrence. Si l'entreprise décide de s'occuper de la concurrence, quatre types de stratégies de concurrence sont possibles : les stratégies de créneau, de suiveur, de challengeur et de leader.

Après avoir fait l'étude des principales stratégies fondamentales de marketing, nous sommes prêts à entreprendre celle de stratégies plus opérationnelles, les stratégies du mix de marketing.

Chapitre 6

Les stratégies du mix de marketing

Le mix de marketing est composé de cinq variables contrôlables par l'entreprise (les 5 « P ») : le produit ou service, le prix, la place (la distribution), la promotion (la communication qui comprend la publicité, les relations publiques, la promotion des ventes, les ventes, le publipostage et le télémarketing) et le personnel en contact. Il y a plusieurs décennies, alors que le marketing était presque exclusivement utilisé par des entreprises manufacturières de biens de consommation, le mix de marketing était composé des quatre premiers P. Mais, aujourd'hui, le marketing est utilisé dans les entreprises de services, et de nombreuses entreprises manufacturières offrent des services à la clientèle, des services après-vente ou des services d'entretien. Nous avons vu plus tôt que les services impliquent la simultanéité de la production et de la consommation et que, en conséquence, le personnel fait partie de l'offre. C'est en raison de cela que, lorsqu'il est question de nos jours de stratégies de mix de marketing, on ajoute un cinquième P : le personnel de l'entreprise qui est en contact avec les clients.

Le choix des stratégies de mix de marketing, comme nous l'avons déjà dit, a lieu après que le choix des stratégies fondamentales a été fait, c'est-à-dire après que les stratégies d'offre, de demande et de concurrence ont été fixées. Pour atteindre les objectifs visés, les stratégies de mix de marketing doivent être cohérentes, s'intégrer aux stratégies fondamentales et les soutenir.

6.1 LE PRODUIT OU LE SERVICE

Le produit ou le service est la pierre angulaire du mix de marketing. Les entreprises offrent sur le marché plusieurs produits ou services qui se situent à différentes étapes du cycle de vie, comme nous l'avons mentionné plus tôt. Un produit ou un service précis peut être maintenu tel quel sur le marché, ou il peut être modifié ou abandonné. De même pour une gamme de produits ou services, qu'on peut réduire, simplifier ou consolider.

6.1.1 L'élagage

Les produits ou services à l'étape de déclin du cycle de vie sont souvent des « poids morts » pour l'entreprise. Ils accaparent beaucoup de temps, d'efforts et de ressources et il faut les éliminer ; on appelle cette opération la stratégie de l'élagage. Lorsque l'entreprise a des ressources limitées et qu'elle veut lancer de nouveaux produits ou services offrant un meilleur potentiel, l'élagage intervient pour éliminer les poids morts.

6.1.2 La modernisation

Une deuxième stratégie de produit est la modernisation. Cette stratégie se doit d'être utilisée de façon continue. En effet, comme nous l'avons vu au chapitre 4, l'environnement socioéconomique, les technologies, les besoins et les goûts changent constamment. Les entreprises doivent continuellement adapter leur offre et moderniser leurs produits et services.

6.1.3 L'attraction

Une troisième stratégie, dite de l'attraction, consiste à développer quelques produits ou services d'appel (des *loss leaders*). Il s'agit d'un produit ou d'un service que l'on offre à un prix relativement bas et qui incite les clients à acheter d'autres produits ou services, des produits ou services complémentaires, ou à renouveler leurs achats. Par exemple, chaque semaine les grandes chaînes d'alimentation offrent les « aubaines » de la semaine à grand renfort de publicité.

6.1.4 L'innovation

La dernière stratégie de produit est l'innovation. L'innovation représente une nécessité : aujourd'hui, les besoins changent et la durée des cycles de vie des produits et services est de plus en plus courte. Pour réussir le lancement de nouveaux produits ou services, il faut mettre en place une organisation efficace qui saura gérer les nouveaux produits dans l'entreprise. Cette bonne gestion doit s'étendre à toutes les phases du processus d'innovation des nouveaux produits dans l'entreprise (la recherche de nouvelles idées et leur évaluation, la conception et le test de concepts de produits ou services — grâce à des groupes de ·discussion par exemple —, l'élaboration de la stratégie de marketing, l'analyse financière, la fabrication du produit ou la mise sur pied du service, le test de marché et le lancement). Il faut assurer également la gestion de la diffusion du nouveau produit ou du service sur le marché.

6.2 LE PRIX

Le prix est un élément crucial du mix de marketing. Le prix est toujours considéré avec attention par l'acheteur, car il représente ce qu'il donne en échange du produit ou du service qu'il reçoit. Pour l'entreprise, le prix est le seul élément du mix de marketing qui contribue aux revenus, les autres sont des dépenses. Le prix a aussi une répercussion sur les concurrents, les intermédiaires et les représentants commerciaux.

Le prix est un aspect important de la perception de la valeur d'un produit ou d'un service. La perception de la valeur est fonction de la qualité et du prix, que celui-ci soit monétaire ou non monétaire, et elle est étroitement liée à la satisfaction de la clientèle.

Avant de procéder au choix des stratégies de prix, il faut d'abord fixer les objectifs que l'on veut atteindre. On peut fixer des objectifs à la fois organisationnels, commerciaux et financiers.

Les principaux objectifs financiers sont la rentabilité à court terme, la rentabilité à long terme, l'amélioration du mouvement de trésorerie et le rendement sur investissement.

Les principaux objectifs commerciaux sont la maximisation des ventes, le positionnement et l'accroissement de la part de marché.

Enfin, les deux plus importants objectifs organisationnels sont l'image de l'entreprise et sa survie.

Les décisions à propos des prix ne dépendent pas seulement des objectifs, elles exigent aussi de prendre en considération le marché, la distribution et l'entreprise. Parmi les facteurs les plus considérés dans la fixation des prix, on retrouve :

- La nature de la demande (cycle saisonnier, périodes creuses, etc.) ;
- Le type de relation avec le client (nouveau client, client fidèle, mauvais client, etc.) ;
- Le positionnement du produit ou du service ;
- La structure des coûts de l'entreprise (coûts de la main-d'œuvre, des matières premières, productivité, etc.) ;
- La structure des réductions des circuits de distribution (escomptes, remises, etc.) ;
- La rémunération des représentants ;
- Le cycle de vie du produit ou du service ;
- La nature de la concurrence ;
- L'importance de la technologie ;
- La capacité de production.

Voyons maintenant les quatre principales stratégies de prix :

- Les stratégies de lancement ;
- Les stratégies basées sur les coûts ;
- Les stratégies basées sur la demande ;
- Les stratégies basées sur la concurrence.

6.2.1 Les stratégies de lancement

Les stratégies de prix au moment du lancement d'un nouveau produit ou d'un nouveau service sont de trois types.

• L'écrémage

La première stratégie est l'écrémage. Écrémer consiste à introduire un produit ou un service à un prix initial élevé, et à baisser ce prix lorsque la demande commence à diminuer. Cette stratégie est souvent utilisée pour les produits technologiques, comme les appareils de télécommunication, les ordinateurs, etc. L'écrémage permet de récupérer rapidement les frais de recherche et de développement et les frais de lancement.

• L'alignement sur la concurrence

Une deuxième stratégie utilisée lors du lancement consiste simplement à s'aligner sur la concurrence. Une stratégie d'alignement n'est évidemment possible que s'il s'agit d'un produit ou d'un service qui existe déjà sur le marché.

• La pénétration du marché

Finalement, la troisième stratégie de lancement est le contraire de la stratégie d'écrémage, c'est la stratégie de pénétration du marché. Elle consiste à fixer le prix le plus bas possible lorsque la demande est élastique de façon à obtenir la part de marché la plus grande possible, et ce, le plus rapidement possible. Cette stratégie tend à décourager la concurrence.

6.2.2 Les stratégies basées sur les coûts

Les stratégies de prix basées sur les coûts sont des stratégies traditionnelles, simples et fort utilisées. La méthode consiste à ajouter aux coûts (fixes, semivariables ou variables) une marge qui permet d'atteindre les objectifs de rentabilité souhaités. Cette méthode est fort utilisée dans les commerces de détail, où l'on ajoute une marge au prix facturé selon le type de produits. Cette méthode souffre de deux lacunes. Tout d'abord, plusieurs entreprises, particulièrement parmi les manufacturières, ne connaissent pas toujours très bien leurs coûts de revient, ce qui rend difficile l'établissement d'une marge bénéficiaire précise. De plus, cette méthode ne reflète pas l'optique marketing, puisqu'elle ne tient pas compte de la demande.

6.2.3 Les stratégies basées sur la demande

Les stratégies de prix basées sur la demande tiennent compte du point de vue du marché. Elles font intervenir des notions telles que la qualité des produits et services, la relation souhaitée avec la clientèle et la valeur. Le prix est ce que les gens paient et la valeur est ce pour quoi ils paient. Il y a une demande pour des produits ou des services personnalisés de grande qualité offrant une valeur élevée ; il y a aussi une demande pour des produits et des services économiques. Il existe des restaurants quatre fourchettes et des casse-croûte. On peut acheter des vêtements dans des magasins d'exclusivité ou dans des magasins à rabais.

6.2.4 Les stratégies basées sur la concurrence

Les stratégies de prix peuvent aussi être basées sur la concurrence. Dans ce cas, trois statégies sont possibles : demander un prix plus élevé que la concurrence, s'aligner sur la concurrence ou demander un prix inférieur. Exiger un prix plus élevé que la concurrence implique forcément que le produit ou le service est de qualité supérieure, mais cela sert aussi à différencier le produit ou le service ; on parle alors de produits ou de services de prestige. Un leader peut utiliser cette stratégie. S'aligner sur la concurrence peut aussi être une stratégie appropriée pour un suiveur ou un occupant de créneau. Enfin, le fait de couper les prix peut être une stratégie souhaitable pour un challengeur qui veut s'attaquer à un concurrent précis afin de lui faire perdre une part du marché.

6.2.5 En pratique

Certaines stratégies de prix se recoupent ou se complètent. En fait, une stratégie de prix doit à la fois tenir compte des coûts, de la demande et de la concurrence. Voici comment on procède en pratique dans plusieurs PME. On commence par estimer les coûts et on fixe le prix de façon préliminaire en tenant compte de la marge bénéficiaire souhaitée. On étudie ensuite la réaction du marché à ce prix et on compare avec la concurrence. Connaissant les prix demandés par la concurrence, la réaction du marché et le prix de revient, l'entreprise peut alors décider de sa stratégie et fixer son prix. Ainsi, un fabricant de meubles veut fixer le prix d'un nouveau produit. Connaissant les coûts de la matière première et de la main-d'œuvre, ainsi que la marge souhaitée, il détermine le prix auquel il aimerait vendre le produit. Il demande à un représentant commercial de comparer avec un produit de même type offert à ce prix par un concurrent en s'enquérant du point de vue de quelques clients importants. Fort de cette information, le fabricant est en mesure de fixer son prix.

6.3 LA DISTRIBUTION

Le troisième élément du mix de marketing est la distribution (soit la Place, pour le troisième P) qui comprend non seulement les circuits de distribution et la distribution physique, mais aussi toutes les formes d'accessibilité à l'entreprise et à ce qu'elle offre. Dans un sens large, l'accès à l'entreprise se fait tout d'abord par l'accès physique, téléphonique et électronique. Cela inclut donc le lieu, les espaces de stationnement, les heures d'ouverture, le nombre de lignes téléphoniques, le courrier électronique, etc.

Une deuxième forme de gestion de l'accessibilité est la gestion des circuits de distribution. On entend par circuit l'ensemble des intermédiaires qui rendent possible l'accessibilité d'un produit ou d'un service à l'utilisateur final, tandis que la distribution physique implique plutôt la gestion des stocks, de l'entreposage, du transport, du traitement des commandes et du service après-vente. Les décisions de stratégies de distribution sont complexes et difficiles à prendre. En effet, comparativement au produit ou service et au prix, le contrôle de la distribution est plus difficile. De plus, l'entreprise s'engage pour une période relativement longue lorsqu'elle choisit un intermédiaire. Ce choix stratégique influence d'ailleurs beaucoup les décisions quant au prix, au produit et au service.

On utilise principalement trois stratégies relativement au circuit de distribution : les stratégies de base, les stratégies d'intensité et les stratégies de structure de canaux.

6.3.1 Les stratégies de base

Les stratégies de base de la distribution sont les stratégies de pression et d'aspiration (*push/pull*). La stratégie de pression implique que l'on mette l'accent sur les circuits de distribution et sur la force de vente, de façon à « pousser » le produit ou le service sur le marché ; la stratégie d'aspiration consiste, quant à elle, à mettre l'accent sur la communication de façon à activer la demande. Trop de pression incite les clients à stocker, à se retrouver avec des surplus, et la demande finit par diminuer. Trop d'aspiration présente le risque que les consommateurs vident littéralement les tablettes et causent des bris de stocks. Les deux stratégies doivent être utilisées de pair, en visant un équilibre optimal.

6.3.2 Les stratégies d'intensité

Le deuxième type de stratégie de distribution se nomme la stratégie d'intensité. On se préoccupe ici du degré de couverture du marché souhaité par l'entreprise. Il y a trois possibilités : une distribution intensive, une distribution sélective et une distribution exclusive. La distribution intensive consiste à chercher à obtenir la plus grande couverture du marché possible, en mettant le produit ou le service à la disposition du plus grand nombre possible d'intermédiaires, de commerçants, de points de vente et de points de service. La distribution sélective signifie que l'entreprise vend à un nombre limité de clients. Finalement, la distribution exclusive limite à un seul client les droits de vente pour un territoire ou un réseau.

6.3.3 Les stratégies de structure des canaux

Les stratégies de structure des canaux consistent à choisir le nombre de niveaux de distribution et la nature des intermédiaires. Le nombre de niveaux de distribution varie grandement selon le type d'industrie. Une entreprise peut vendre directement à ses clients (consommateurs ou entreprises) : on parle alors de marketing direct. Elle peut aussi vendre à des commerçants (un niveau) ou à des grossistes qui vendent à des commerçants (deux niveaux). Finalement, il existe divers systèmes contractuels de distribution (chaînes volontaires, franchises, etc.).

6.4 LA COMMUNICATION

La communication (ou la Promotion, le quatrième P) est la partie la plus visible de l'effort de marketing. On considère dans certains milieux, à tort d'ailleurs, que le marketing est synonyme de communication, et surtout de publicité. Le marketing est beaucoup plus que cela.

Les principaux outils de communication, connus sous le nom de mix de communication, sont la publicité, les relations publiques, le marketing direct, la promotion des ventes et la vente.

L'objectif de la communication est d'informer, de persuader et d'inciter à l'achat. Il s'agit de faire ressortir aux yeux des clients actuels et potentiels les avantages concurrentiels du produit ou du service, de façon à démontrer que l'entreprise répond aux besoins du marché, d'une part, et à positionner l'entreprise par rapport à ses concurrents, d'autre part. Pour être efficace, le communicateur doit bien connaître sa clientèle cible, préparer un message qui sera codé de façon à ce qu'il soit compris (il faut éviter les termes techniques et le jargon spécialisé ou disciplinaire) et utiliser des messages qui sachent rejoindre le marché cible.

La clé du succès de la communication dépend de quatre facteurs :

1) Le pouvoir d'attrait et de persuasion du message (en particulier par rapport aux avantages concurrentiels et au positionnement) ;

2) La clarté et la cohérence avec lesquelles les messages sont émis (il faut éviter le « bruit », c'est-à-dire toute perturbation qui nuise à la réception et à la compréhension du message) ; par exemple, l'information transmise aux clients par publipostage doit être différente de celle transmise aux représentants ;

3) Le bon choix des éléments du mix de communication (c'est-à-dire la publicité, les relations publiques, etc.) ;

4) Le budget alloué à la communication.

Voyons maintenant les principaux outils du mix de communication.

6.4.1 La publicité

La publicité consiste en toute forme impersonnelle de communication payée par l'entreprise pour promouvoir ses produits et services. Le rôle de la publicité est avant tout d'informer de façon générale, de bâtir la notoriété, de persuader d'acheter ou de différencier l'offre de l'entreprise. C'est donc un outil essentiel pour faire connaître le positionnement souhaité par l'entreprise.

Les principales décisions d'un programme publicitaire sont la détermination des objectifs publicitaires, la fixation du budget, le choix et le contenu du message, le choix des médias (télévision, radio, journaux spécialisés, etc.) et des supports publicitaires (Radio-Canada ou TVA, CKAC ou CBF, le journal *Les Affaires* ou *La Presse* section économique, etc.), de même que le choix des moyens de contrôle. Un média relativement nouveau est le réseau Internet qui donne accès à des milliers, voire à des millions de clients, un peu partout dans le monde.

Les activités de publicité doivent s'intégrer aux stratégies du mix de marketing et être complémentaires aux autres activités du mix de communication. La publicité est un outil de communication important, mais ce ne doit pas nécessairement être le fer de lance de la communication. Le choix de l'outil de communication dépend du marché cible, du message à communiquer et des ressources.

6.4.2 Les relations publiques

Toute entreprise projette une image sur ses clients, ses employés, ses fournisseurs, ses intermédiaires, ses concurrents, les publics locaux et le grand public. Les relations publiques représentent la mise en œuvre planifiée et soutenue des activités qui visent à assurer la compréhension mutuelle entre une entreprise et ses publics. Le but des relations publiques est d'établir et de maintenir une image positive de l'entreprise auprès de ses nombreux publics, de renforcer le positionnement de l'entreprise et de ses produits ou services, de composer avec des problèmes d'intérêt public et de soutenir les autres activités de communication.

Les outils de relations publiques impersonnelles prennent plusieurs formes :

1) Les publications comme les communiqués de presse, le rapport annuel, les affiches, les lettres d'information aux clients et aux employés ;

2) La papeterie, les cartes professionnelles, les factures ;

3) Les événements, comme les conférences de presse, les discours ou les foires ;

4) Les commandites d'activités charitables, culturelles ou sportives.

Enfin, les relations publiques personnalisées consistent surtout en la présence à des dîners, à des congrès et autres activités.

De bonnes relations publiques contribuent à maintenir la notoriété et la crédibilité de l'entreprise, à motiver et à stimuler les représentants et les employés. Les relations publiques peuvent aussi soutenir les efforts de lancement de nouveaux produits ou services et de positionnement des produits ou des services.

Les relations publiques et la publicité sont des outils de communication qui visent à accroître la notoriété, à faire prendre conscience de l'offre et à la faire connaître. Toutefois, le fait de connaître l'existence d'une entreprise, d'un produit ou d'un service ne signifie pas que l'on y soit intéressé. Même si un client trouve le produit ou le service attrayant, il ne l'achètera pas nécessairement pour autant. Les relations publiques et la publicité font connaître l'entreprise, ses produits et services, tandis que la promotion des ventes et le marketing direct, orientés plutôt vers l'action, tentent d'influer sur la décision d'achat du client.

6.4.3 La promotion des ventes

Un autre outil de communication marketing est la promotion des ventes. Les objectifs de la promotion des ventes consistent à favoriser l'essai d'un produit ou d'un service, à inciter à l'achat et à motiver les intervenants en ce sens. Les promotions peuvent être destinées :

- Aux clients : par des échantillons, des remises, des bons de réduction, des offres de remboursement, des loteries, des concours, etc. ;

- Aux intermédiaires : par des remises, de la marchandise gratuite, des allocations, de la publicité coopérative, etc. ;

- Aux représentants : par des primes, des cadeaux, des concours, des voyages, etc.

Les principales activités qui ont cours dans l'élaboration d'une campagne de promotion des ventes sont la détermination des objectifs, le choix des outils de promotion, la fixation d'un budget, l'établissement des programmes (les aspects légaux, les conditions de participation, la durée et le moment de la promotion, les échéances, les tests préalables et le contrôle). La promotion des ventes est particulièrement efficace lorsqu'elle est jumelée à d'autres activités de communication telles qu'une campagne publicitaire ou un programme de marketing direct ou de vente.

6.4.4 Le marketing direct

Le marketing direct, par définition, élimine les intermédiaires. Il prend plusieurs formes, les plus courantes étant le publipostage et le télémarketing. Ces outils de communication, les plus récents dans le coffre à outils des communicateurs, connaissent un succès certain, d'une part parce que la division du marché en de très petits segments permet de cibler avec précision les marchés et que cela est très utile étant donné que la faible croissance de la demande des dernières années a mis en évidence la nécessité de maintenir de bonnes relations avec la clientèle; d'autre part, parce que l'accès à l'informatique permet de créer et de maintenir des banques de données sur les clients. Les principales décisions qu'il incombe de prendre en marketing direct sont d'abord de définir la clientèle cible et les objectifs de communication, puis de choisir la méthode (le publipostage, le télémarketing, etc.) et les stratégies (le produit ou le service, l'offre, le média).

• Le publipostage

Le publipostage est un des outils les plus utilisés en marketing direct. Le publipostage traditionnel prend plusieurs formes : la lettre personnalisée, la lettre circulaire, la brochure, les cassettes audio et vidéo. L'envoi postal a pour but de vendre, de dépister des clients potentiels ou d'accroître la notoriété. Les envois peuvent se faire au moyen de la liste des clients de l'entreprise ou par l'acquisition de listes de noms auprès de firmes spécialisées, de journaux ou de revues. La popularité du publipostage s'explique par la spécificité des clientèles cibles et la possibilité de personnaliser les lettres et l'offre. La flexibilité du publipostage et le fait qu'il permet de faire des tests et de mesurer les résultats facilement représentent également un atout.

• Le télémarketing

Un autre outil d'intérêt est le télémarketing, rendu plus accessible grâce aux lignes téléphoniques de libre accès (800, 888). Le télémarketing sert à vendre les produits ou les services ou à dépister des clients potentiels. Pour être efficace, les campagnes téléphoniques doivent être bien gérées et contrôlées. Autrement, les retombées pourraient être négatives, puisque certains interlocuteurs considèrent que leur intimité est brimée. La communication automatique (un ordinateur qui répète les messages) est par ailleurs illégale.

• Internet

Un nouvel outil a fait son apparition : Internet. Plusieurs PME ont déjà leur site dans le réseau, et certaines d'entre elles ont connu de cette façon un succès qui les a surprises.

Le marketing direct est un outil de communication dont l'utilisation s'accroîtra à mesure que s'amélioreront les systèmes d'information et les systèmes informatiques des entreprises.

6.5 LA VENTE

Les éléments du mix de communication que nous venons de mentionner servent souvent de soutien à l'effort de vente. Ainsi, le publipostage ou le télémarketing peuvent informer les clients de la visite ou de l'appel prochain d'un représentant. La vente est vitale pour toute entreprise : pas de ventes, pas d'entreprise. La tâche d'un représentant est relativement complexe. Le représentant ne se limite pas à prendre des commandes : il doit entretenir de bonnes relations avec les clients importants (la loi de Pareto est souvent confirmée, 80 % des ventes proviennent de 20 % des clients) ; il doit agir comme expert-conseil ou servir de pont entre le client et les services techniques de l'entreprise ; il peut aussi être une source d'innovation quant aux produits et aux services. Le représentant est aussi un agent d'information important en ce qui concerne les besoins de la clientèle et sa satisfaction, les tendances du marché et les actions des concurrents. En d'autres mots, il a des responsabilités de vente, de service à la clientèle et de surveillance du marché.

La mise en place d'une force de vente implique que des décisions soient prises quant aux objectifs, aux stratégies (représentants embauchés par l'entreprise ou agents), à la taille de la force de vente et au mode de rémunération. Une fois le plan conçu, il faut assurer la gestion de la force de vente : recruter, former, superviser, animer et évaluer les représentants. Toutes ces décisions dépendent des objectifs de vente et de communication. Elles devront aussi prendre en considération les autres éléments du mix de communication et du mix de marketing, puis s'intégrer aux stratégies fondamentales de marketing.

6.5.1 Le personnel en contact

Le dernier élément du mix de communication (soit le cinquième P) est le personnel en contact avec la clientèle. Cet élément représente un rouage essentiel du marketing des entreprises de services, ainsi que des entreprises manufacturières qui offrent des services à la clientèle, des services après-vente, etc. Le personnel en contact avec la clientèle comprend tous les employés qui sont en contact avec le public et les clients : les réceptionnistes, les téléphonistes, les préposés au service à la clientèle, les techniciens de service, les représentants, etc. Ce personnel joue un rôle fort important dans les entreprises manufacturières où il occupe les postes de préposé au service à la clientèle, de technicien, de réceptionniste, de représentant ou autre. Le personnel en contact avec le client fait partie de l'offre, il donne un visage à l'entreprise, il personnifie l'entreprise aux yeux du client.

Étant donné que l'on reconnaît de plus en plus l'importance de la clientèle actuelle dans le succès des entreprises, on favorise une approche relationnelle avec les clients, à savoir une approche personnalisée qui vise à établir des relations à long terme dans l'intérêt des deux parties. On s'efforce donc de ne pas mettre l'accent uniquement sur le repérage de nouveaux clients et la vente, mais aussi sur la rétention des clients actuels. Dans cette optique, on considère que les employés en général, et plus précisément le personnel en contact avec la clientèle, forment une autre clientèle cible pour l'entreprise : on parle alors de marketing interne.

Les objectifs du marketing interne sont d'accroître le degré de sensibilisation des employés à la clientèle et à la qualité des services et de les aider à accomplir leur tâche le mieux possible dans une perspective de marketing.

Un premier élément du marketing interne consiste en la collecte d'information (le *market-in*). Le personnel en contact avec les clients est incité à transmettre à l'entreprise toute information à propos des clients ou du marché.

Un deuxième élément est la gestion des ressources humaines. L'entreprise s'assure de recruter, de former et de rémunérer son personnel dans une perspective d'ouverture sur la clientèle. Le personnel en contact avec la clientèle doit non seulement être doté de compétences professionnelles, mais aussi de l'empathie et des aptitudes nécessaires pour faire affaire avec les clients.

Enfin, la communication avec les employés est un élément fort important pour assurer le soutien des activités externes du marketing. La communication aux employés, dite communication interne, peut être de forme personnelle (les réunions, les conférences, la diffusion du plan de marketing, l'accueil des nouveaux employés, un programme de suggestions, les journées portes ouvertes, etc.) ou de forme impersonnelle (les lettres d'information, le journal d'entreprise, le rapport annuel, les bulletins spéciaux, etc.). L'essentiel du marketing interne est de bien former et d'informer le personnel dans une optique de marketing de façon à développer le réflexe d'ouverture à la clientèle.

CONCLUSION

Dans ce chapitre, nous avons passé en revue les stratégies du mix de marketing, à savoir les stratégies qui concernent le produit ou le service, le prix, la distribution, la communication et le personnel en contact avec le client. Nous avons vu les principales stratégies de produits et de services : l'élagage, la modernisation, l'attraction et l'innovation. Les stratégies de prix sont les stratégies basées sur les coûts, sur la demande et sur la concurrence. Lors du lancement d'un produit, trois stratégies de prix sont possibles : l'écrémage de marché, l'alignement sur la concurrence et la pénétration du marché. Les stratégies de distribution sont complexes et ont des implications à long terme. Les principales stratégies de distribution sont les stratégies de base, les stratégie d'intensité et les stratégies de structure de canaux.

Une fois arrêtées les stratégies de produit ou de service, de prix et de distribution, il faut communiquer au public en quoi consiste l'offre de l'entreprise. Les stratégies de communication ont trait au mix de communication et à chacune de ses composantes : la publicité, les relations publiques, la promotion des ventes, le marketing direct et la vente. Une attention spéciale est de plus en plus apportée au personnel en contact avec le client : on parle alors de marketing interne et de communication interne.

Vous avez maintenant acquis les connaissances de base nécessaires à la préparation d'un plan de marketing. Nous savons que le processus de la planification du marketing se compose de quatre grandes étapes : l'analyse de la situation, la définition de l'orientation, la création des stratégies et leur exécution. Dans le prochain chapitre, nous aborderons les notions d'orientation et de création, c'est-à-dire la manière dont on doit élaborer la mission, les objectifs, les stratégies et le budget de marketing.

QUATRIÈME PARTIE

L'ORIENTATION, LA CRÉATION ET L'EXÉCUTION

Vous avez maintenant en main tous les outils nécessaires pour la préparation de la partie stratégique du plan de marketing, c'est-à-dire ce qui concerne l'orientation de l'entreprise et la création des stratégies. Vous déciderez où vous voulez aller et la manière dont vous irez. Le dernier chapitre, quant à lui, traitera de la façon d'assurer la mise à exécution du plan.

Chapitre 7

Le plan de marketing : orientation et création

L'analyse terminée, nous passons maintenant à la partie la plus dynamique du processus de la planification du marketing, soit l'orientation de l'entreprise et la création des stratégies. Le choix de l'orientation est lourd de conséquences, car vous devez définir, revoir ou confirmer la mission de l'entreprise et fixer les objectifs de marketing (figure 7.1). Autrement dit, vous avez procédé aux analyses qui vous ont permis de déterminer d'où vous venez et vous devez maintenant définir où vous voulez aller, et de quelle manière vous y parviendrez. Décider de la façon d'atteindre vos objectifs de marketing exige de la créativité, et c'est là le rôle des stratégies et des programmes.

7.1 L'ORIENTATION

7.1.1 La mission

Quelle est la raison d'être de votre entreprise ? C'est le rôle de la direction de l'entreprise de répondre à cette question. La mission est le fondement du plan d'entreprise et du plan de marketing.

En pratique la définition de la mission dépend de cinq éléments clés. Le premier est l'histoire de l'entreprise. Toute entreprise a une histoire qui se reflète dans ses buts, ses politiques et ses réalisations. Le deuxième élément relève des préférences des propriétaires, actionnaires et dirigeants qui ont leurs propres buts et visions. Les caractéristiques de l'environnement externe de l'entreprise constituent un troisième élément qui influence la mission de l'entreprise. Le macro-environnement, les clients, les concurrents et les marchés créent les occasions d'affaires et les menaces. Le quatrième élément est relatif aux ressources de l'entreprise. L'actif de l'entreprise comprend non seulement les ressources financières, mais aussi le capital humain et les moyens d'exploitation. Enfin, l'entreprise doit miser sur ses compétences distinctives.

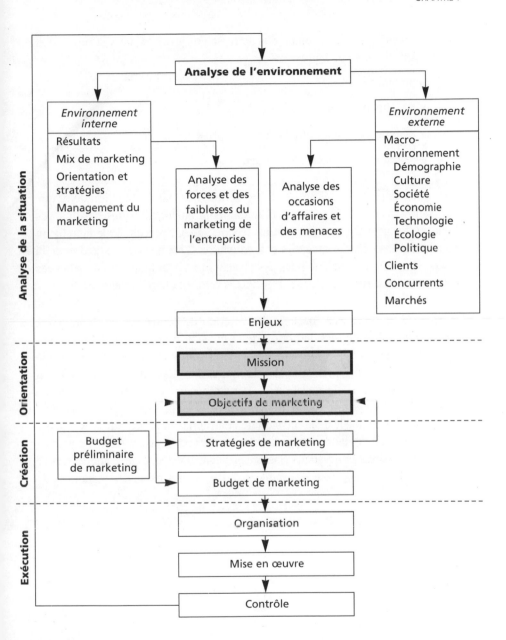

Figure 7.1 Le processus de la planification du marketing

Il est essentiel que les champs d'activité soient précisés dans la mission et qu'ils soient définis par rapport :

- Au marché desservi ;

- Aux besoins de ce marché ;

- Aux avantages concurrentiels de l'entreprise ;

- À la technologie utilisée, s'il y a lieu.

En d'autres mots, la mission doit être définie non pas en fonction de ce que vous faites ou de ce que vous fabriquez, mais en fonction des besoins des clients et des avantages concurrentiels tels qu'ils sont perçus par le marché ou en fonction des besoins satisfaits et à satisfaire. C'est par la satisfaction de la clientèle que l'entreprise atteindra ses objectifs en misant sur ses compétences distinctives, ses avantages concurrentiels et la technologie qu'elle utilise.

Définir la mission est la base de l'orientation de l'entreprise et de la détermination des objectifs. La définition de la mission représente non seulement une étape essentielle du processus de la planification du marketing, mais elle constitue aussi un outil fondamental de motivation dans la mise en œuvre du plan de marketing. La formulation de la mission doit permettre de guider, de motiver et de donner une vision aux employés. C'est pourquoi plusieurs entreprises affichent le libellé de la mission de l'entreprise dans les bureaux et dans l'usine. Pour vous aider à rédiger la mission de votre entreprise, vous pouvez tenter de répondre aux questions classiques suivantes : Qui ? Offre quoi ? À qui ? Où ? Et comment ? On trouve au tableau 7.1 quelques exemples d'énoncés de mission.

CHAPITRE 6

Entreprise de logiciels

La mission de Logicix consiste à améliorer la productivité de ses clients, les PME manufacturières. Nous réalisons notre mission grâce à des logiciels utilitaires performants, des programmes de formation de première qualité et un soutien constant à nos clients. Nous sommes une entreprise de services qui mise sur l'établissement de relations à long terme avec ses clients pour atteindre ses objectifs de rentabilité.

Entreprise de messagerie

Supercourrier offre un service fiable et rapide de livraison de lettres et de documents à un prix concurrentiel sur le territoire de la ville de Laval. La technologie permet le suivi en temps réel de la livraison. Le personnel est aimable et courtois et agit de façon professionnelle avec les clients et les autres employés. Supercourrier mise sur l'excellence de ses services pour réaliser le volume d'affaires nécessaire au maintien de sa santé financière.

Supermarché

Le supermarché Sabrina se préoccupe des besoins de ses clients, de ses employés et de la communauté de Saint-Flaubert. Nous offrons une vaste gamme de produits et misons sur la qualité et la fraîcheur de nos fruits et légumes et de notre viande grâce à nos réfrigérateurs à température contrôlée. La rentabilité sera obtenue grâce à la satisfaction de la clientèle et au contrôle informatisé des coûts.

Tableau 7.1 Quelques exemples d'énoncés de missions

La mission est préalable à la détermination des objectifs de marketing, laquelle est plus opérationnelle. En fait, la mission est une vision à long terme de la raison d'être de l'entreprise, tandis que l'orientation à court et à moyen terme est donnée par les objectifs. C'est ce que nous verrons maintenant.

7.1.2 Les objectifs

Un objectif est ce que vous cherchez à atteindre, une stratégie est le moyen pour y parvenir. Dans une perspective de marketing, les objectifs sont énoncés par rapport aux marchés, ou segments de marchés, et par rapport aux produits ou aux services, ou, plus précisément, en termes de couples produits/marchés ou services/marchés. Les objectifs de marketing doivent concerner la rentabilité, le volume de ventes (en dollars ou en unités), la part de marché, l'évaluation en pourcentage de la satisfaction de la clientèle et le positionnement de l'entreprise. Ils doivent être réalisables, constituer un défi raisonnable et permettre aux membres de l'entreprise de développer un sentiment de réussite. Les objectifs sont le plus souvent énoncés en termes quantitatifs, ce qui permet de mesurer le progrès réalisé vers leur accession. Des objectifs quantitatifs devraient être fixés pour chaque marché et chaque produit ou service. Toutefois, il est avantageux de proposer également des objectifs qualitatifs de façon à promouvoir la cohésion, l'identité et l'enthousiasme.

D'un point de vue opérationnel, des objectifs de ventes devraient être fixés pour chaque marché, chaque circuit de distribution, chaque vendeur, chaque produit, etc., en fonction des capacités actuelles et potentielles du système d'information marketing et particulièrement des rapports internes. En d'autres mots, la détermination des objectifs n'est pas une fin en soi, elle est un outil de gestion permettant d'assurer un meilleur contrôle des activités de marketing. Vous devez donc vous assurer que vous fixez des objectifs dont vous pouvez mesurer les résultats. Vous trouverez, au tableau 7.2, des questions qui vous aideront à rédiger la mission de votre entreprise et à déterminer vos objectifs de marketing. Le cas de Graphix est présenté à l'exemple 7.1.

L'ORIENTATION
LA MISSION ET LES OBJECTIFS DE MARKETING

La mission

Quelle est la raison d'être de votre entreprise ? Que fait votre entreprise ?
Quels marchés sert l'entreprise ?
Quels sont les besoins de ces marchés ?
Comment répondez-vous à ces besoins ?
Quels sont vos avantages concurrentiels ?
Quelle technologie utilisez-vous ?
En d'autres mots, qu'offrez-vous ? À qui ? Où ? Comment ?

Les objectifs de marketing

Quels sont vos objectifs de marketing ?
Des objectifs quant à la rentabilité ? Quant aux ventes ?
Quant à la part de marché ? Quant à la satisfaction de la clientèle ? Quant au positionnement ?
Fixez-vous uniquement des objectifs globaux ?
Sinon, quels sont les objectifs pour chaque produit ou service ? Pour chaque client ? Pour chaque territoire ?, etc.

Tableau 7.2 La mission et les objectifs de marketing

L'ORIENTATION
LA MISSION ET LES OBJECTIFS DE MARKETING DE GRAPHIX

La mission

Graphix a pour mission de fabriquer et de distribuer des instruments d'écriture et de dessin répondant aux besoins des marchés des affaires, scolaire et commercial. L'objectif de Graphix est de devenir la meilleure entreprise canadienne d'instruments d'écriture et de dessin pour ses clients et employés. Graphix accomplit sa mission en assurant la satisfaction et la fidélisation de ses clients grâce à des produits et à un service à la clientèle de qualité supérieure offerts à un prix concurrentiel par un personnel compétent qui s'efforce de respecter les délais de livraison.

Les objectifs de marketing

Les objectifs quantitatifs

Ventes	Affaires	Scolaire	Commercial	Total	Part de marché estimée
L'an prochain	590 000 $	950 000 $	625 000 $	2 165 000 $	17,0 %
Dans 3 ans	720 000 $	1 025 000 $	875 000 $	2 620 000 $	19,3 %

Retour de marchandise

Affaires	Scolaire	Commercial
2 %	1 %	2 %

Satisfaction de la clientèle (% des satisfaits et très satisfaits)

Affaires	Scolaire	Commercial
85 %	85 %	90 %

Les objectifs qualitatifs
Améliorer la qualité du service à la clientèle.
Assurer la fidélisation des clients.
Positionner Graphix comme une entreprise qui offre des produits et un service à la clientèle de qualité supérieure.

Exemple 7.1 L'orientation de l'entreprise

7.2 LA CRÉATION DES STRATÉGIES

Aux chapitres 5 et 6, nous vous avons présenté les principales stratégies de marketing. Il n'y a pas de stratégies idéales. Il faut déterminer les meilleures combinaisons possibles, en fonction de son entreprise et de son milieu. Cela a une certaine analogie avec le jeu d'échecs. Lorsque l'on montre à jouer à quelqu'un, on lui indique la manière de déplacer les pièces. La différence entre un champion et un amateur, c'est que le champion sait trouver les combinaisons gagnantes. Il en est de même pour les stratégies de marketing. Nous vous avons présenté ces dernières, maintenant il s'agit de jouer et de gagner. Le processus de planification du marketing vous aidera à devenir un gagnant.

7.2.1 Les stratégies de marketing

Nous savons qu'il y a deux types de stratégies de marketing : les stratégies fondamentales et les stratégies du mix de marketing. Vous devez choisir les stratégies fondamentales en premier lieu. Ces stratégies peuvent être regroupées en stratégies d'offre, de demande et de concurrence. Vous n'avez pas à utiliser chacune des stratégies fondamentales, mais vous pouvez com biner certaines stratégies ; par exemple, une stratégie de pénétration du marché avec des stratégies de segmentation, de positionnement et de concurrence.

Il est nécessaire de faire d'abord le choix des grandes orientations stratégiques : les stratégies fondamentales (voir le tableau 7.3 pour des questions types et l'exemple 7.2 pour le cas Graphix).

Après avoir choisi les grandes orientations stratégiques, vous pouvez décider de segmenter vos marchés ou non. Si vous ne le faites pas, procédez directement aux choix des stratégies fondamentales et du mix de marketing. Si vous décidez de segmenter vos marchés, vous devrez probablement adapter les orientations stratégiques fondamentales que s'est données l'entreprise à chaque segment. Il faudra alors élaborer des stratégies fondamentales et des stratégies de mix de marketing pour chaque segment (voir le tableau 7.4 et l'exemple 7.3).

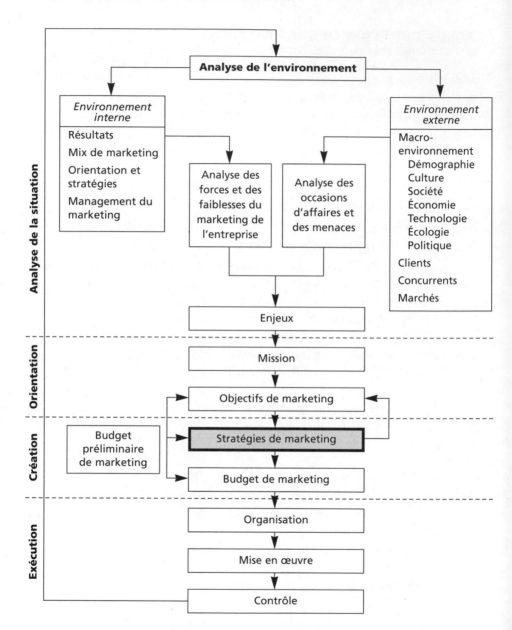

Figure 7.2 Le processus de la planification du marketing

LES STRATÉGIES FONDAMENTALES DE MARKETING

L'offre

Où se situent vos produits ou services par rapport aux différentes étapes de cycle de vie des produits ou services dans votre entreprise? Sur le marché?

Quelles en sont les implications par rapport aux objectifs et aux stratégies de mix de marketing (voir figure 5.1)?

Quelles stratégies pourriez-vous utiliser pour mieux pénétrer les marchés?

Êtes-vous en mesure de créer de nouveaux produits ou services?

D'ouvrir de nouveaux marchés? Êtes-vous intéressé à diversifier?

La demande

Segmentez-vous vos marchés présentement?

Avez-vous bien évalué l'attrait de chacun de vos segments?

Lesquels sont les plus attrayants (voir l'exemple 4.5)?

Par rapport à quelles variables segmentez-vous vos marchés
(voir le tableau 5.1)?

Est-ce la meilleure façon de segmenter?

Quelles stratégies de croissance privilégiez-vous dans chaque segment?

Comment faire pour mieux pénétrer chaque segment? Créer des produits?

Y a-t-il d'autres segments (marchés) à développer?

Quels sont les facteurs clés de succès dans chaque segment
(voir l'exemple 4.5)?

Comment vous différenciez-vous des concurrents dans chaque segment?

Quels sont les avantages concurrentiels de votre entreprise dans chaque segment?

Vous différenciez-vous par rapport à des critères ou avantages importants pour vos clients?

Quel positionnement global souhaitez-vous obtenir pour votre entreprise?

Et le positionnement dans chaque segment?

Êtes-vous capable de faire une carte de positionnement de votre entreprise et de vos concurrents dans chaque segment de marché par rapport aux critères les plus importants pour les clients et à vos avantages concurrentiels (voir la figure 5.3)?

La concurrence

Que savez-vous sur les concurrents de votre groupe stratégique ? Dans chaque segment ?

Quelles stratégies utilisent-ils ?

Y a-t-il des concurrents qui sont plus menaçants pour vous ?

Y a-t-il des entreprises que vous devez concurrencer plus particulièrement ?

Comment devez-vous agir face à la concurrence ?

Si vous êtes combatif, quelles seront les réactions de chaque concurrent ?

Sur quoi devez-vous miser pour mieux faire que la concurrence ?

Tableau 7.3 La grille des stratégies fondamentales de marketing

LES STRATÉGIES FONDAMENTALES
DE MARKETING DE GRAPHIX

Les stratégies d'offre de Graphix

Les stratégies de portefeuille

Les crayons à mine noire pour le bureau ou la maison et les crayons de couleur sont nos vaches à lait. Les instruments à dessin présentent un dilemme. Les ventes de crayons pour dessinateur connaissent une baisse rapide. Il faut maintenir la position des crayons de couleur et des crayons à mine noire autres que pour le dessin, penser à consolider à moyen terme le marché des crayons et des instruments à dessin et trouver de nouveaux produits rapidement.

Les stratégies de croissance

Le marché commercial est le plus attrayant (nous l'avons calculé à l'exemple 4.4); il faut consolider cette position et même, pour mieux pénétrer ce marché. Il faut concentrer nos efforts sur Bureaupro. Il faut accroître les ventes de nos crayons de couleur au moyen d'une promotion plus dynamique, favoriser l'utilisation de nos instruments reliées à des jeux et se servir des crayons de couleur pour faire la vente croisée de nos autres produits. Il faut créer un ensemble de 36 ou de 48 crayons. En ce qui concerne le marché scolaire, il faut maintenir nos ventes; pour accroître les quantités à l'achat, il faut réduire les prix pour les volumes importants. En ce qui a trait au marché des affaires, il faut améliorer la distribution dans les grandes surfaces, surtout les magasins entrepôts. Il faut créer une gamme de stylos et de crayons-feutres. Il faut évaluer le potentiel de la création de fusains.

Les stratégies de demande de Graphix

Les stratégies de segmentation

Nous avons trois segments traditionnels de base : affaires, scolaire et commercial. Il faut considérer la possibilité de segmenter selon le type d'utilisation : professionnelle, utilitaire et passe-temps/détente/loisirs.

Les stratégies de différenciation
Les principaux facteurs de différenciation dans les trois segments sont l'excellence de notre service à la clientèle et, à un degré moindre, le respect des délais de livraison et la qualité des produits. Il faut apporter une attention spéciale aux facteurs écologiques pour le segment scolaire.

Les stratégies de positionnement
Le positionnement actuel est confus, il nous faut développer une image précise dans l'esprit de nos clients et des clients de nos clients. Pour tous nos clients, nous voulons être l'entreprise qui offre les produits de qualité supérieure à ceux de la concurrence (tant pour nos clients que pour les consommateurs). Pour le marché scolaire, nous miserons davantage sur la qualité écologique (surtout la non-toxicité). Pour les marchés commerciaux et des affaires, il faut miser sur le service à la clientèle. Dans les trois segments, il faut améliorer l'image de l'entreprise et améliorer les délais de livraison.

Les stratégies de concurrence

Le leader est Penco. Sterol occupe une position de challengeur dans les segments affaires et commercial. Nous sommes challengeur dans le marché scolaire. Ces deux entreprises offrent des prix plus bas que les nôtres. La qualité de nos produits est meilleure que celle de ces concurrents, mais nos clients ne le savent pas. Rainbow et Alpha sont des suiveurs qui n'ont qu'un seul avantage concurrentiel, les bas prix. Nous n'affronterons pas directement Penco et Sterol, mais nous miserons surtout sur l'excellence des produits et du service à la clientèle et sur la fiabilité de nos services. Par contre, nous serons très combatifs envers Rainbow et surtout Alpha en comptant sur les délais de livraison et en coupant même nos prix au maximum dans les gros comptes. Peut-on négocier une entente avec Rainbow pour créer une gamme de produits à bas prix dans le contexte de l'ALENA ?

Exemple 7.2 Les stratégies fondamentales de marketing de Graphix

LES STRATÉGIES DE MIX DE MARKETING

Les produits ou services

Le degré de qualité des produits ou des services est-il acceptable pour le marché?

Certains de vos produits ou services devraient-ils être éliminés? Modernisés?

Votre gamme de produits ou de services devrait-elle être réduite, simplifiée ou consolidée?

Devriez-vous ajouter des produits ou des services? Comment innover?

Vos stratégies de produits ou de services sont-elles conformes à l'étape du cycle de vie (figure 5.1)?

Avez-vous des stratégies de céation et de lancement de nouveaux produits ou services?

Créez-vous suffisamment de nouveaux produits ou de nouveaux services?

Quelles stratégies actuelles de produits ou de services devraient être améliorées? Comment?

Vos stratégies de produits et de services sont-elles cohérentes avec les stratégies des autres éléments du mix de marketing?

Le prix

Quels sont vos objectifs quant à la fixation du prix? Les objectifs à court terme sont-ils différents des objectifs à long terme?

Quelles stratégies de prix devriez-vous utiliser lors du lancement de nouveaux produits ou nouveaux services (écrémage, alignement sur la concurrence, pénétration du marché)?

Connaissez-vous bien vos coûts?

Vos prix sont-ils fixés en fonction des coûts du marché? De la concurrence?

Vos politique de prix tiennent-elles compte des intermédiaires? Des clients?

Le niveau de prix est-il cohérent avec la qualité de vos produits et services?

Vos stratégies de prix sont-elles cohérentes avec les stratégies des autres éléments du mix de marketing?

La distribution

Quels sont vos objectifs de distribution?

Les locaux sont-ils bien situés? Y a-t-il suffisamment d'espaces réservés au stationnement?

Les heures d'ouverture conviennent-elles aux clients?
A-t-on suffisamment de lignes téléphoniques? Et le courrier électronique?
La transmission de données électroniques est-elle un atout? Ou une nécessité?
De façon générale, vos produits ou services sont-ils facilement accessibles pour les clients?
Quelles sont vos stratégies de base? Les stratégies d'aspiration sont-elles coordonnées aux stratégies de pression?
Quel est le degré d'intensité de la distribution?
La couverture du marché est-elle adéquate?

La communication

Quels sont vos objectifs de communication?
Vos stratégies de communication s'intègrent-elles bien avec vos stratégies de positionnement? Et les autres stratégies fondamentales?
Quelles sont vos principales stratégies de publicité? De relations publiques? De promotion des ventes? De marketing direct? De vente?
Devriez-vous avoir vos propres vendeurs? Ou utiliser les services de représentants externes (représentant de fabricants, courtiers, etc.)?
Vos stratégies de communication sont-elles cohérentes entre elles, s'intègrent-elles bien aux stratégies des autres éléments du mix de marketing?

Le personnel en contact

Vous préoccupez-vous du marketing interne?
Mesurez-vous la satisfaction de vos clients au sujet du personnel en contact avec eux?
Votre personnel en contact avec le client comprend-il l'importance de transmettre à la direction toute information pertinente au sujet de la satisfaction et de l'insatisfaction des clients?
Votre personnel en contact avec la clientèle est-il bien formé sur le plan des compétences que requiert sa tâche?
A-t-il été bien formé sur la manière d'accomplir sa tâche (la courtoisie, la façon d'accueillir les clients, l'art de la vente, etc.)?
Le personnel en contact avec le client est-il sélectionné surtout pour sa compétence? Considérez-vous aussi ses aptitudes à faire affaire avec le public?
Informez-vous bien votre personnel en contact avec le client sur les changements dans l'entreprise, les nouveaux produits et nouveaux services, etc.?

Tableau 7.4 La grille des stratégies de mix de marketing

LES STRATÉGIES DU MIX DE MARKETING DE GRAPHIX

Les produits et services

Miser sur les crayons à mine noire pour le bureau ou la maison et les crayons de couleur.

Créer des stylos et crayons-feutres (ou distribuer ?).

Fabriquer des produits pour les marques privées de grandes chaînes (La Baie, Jean Coutu, etc.).

Revoir la formulation des mines pour éviter la toxicité.

Étudier la possibilité de mettre au point des produits pour le marché des loisirs (les fusains).

Offrir des conditionnements moins chers pour le marché scolaire.

Mettre au point de nouvelles couleurs de gommes à effacer.

Trouver de nouveaux usages pour les instruments à dessin.

Le prix

Réviser la structure de réductions des grossistes par rapport à celle des grandes surfaces.

Couper les prix au maximum face à Rainbow et à Alpha.

Établir une politique claire pour les échantillons et les réclamations de transport.

Bien suivre la politique de conditions de paiement, surtout celle du net 30 jours, sauf pour les nouveaux clients qui doivent payer le montant complet à la première commande.

La distribution

Concentrer les efforts sur le marché commercial et sur les coopératives et détaillants.

Définir une politique de retour des marchandises auprès des grossistes (incluant les retours des détaillants).

Maintenir les stocks suffisamment élevés pour minimiser les bris de stocks.

Étudier la possibilité d'avoir une ligne 800/888.

Renforcer les boîtes, en raison des plaintes de dommages.

Concevoir un présentoir pour les dépanneurs.

Établir un programme spécial pour Bureaupro.

Perfectionner notre programme de commandes automatisées.

La communication

Les stratégies de publicité

Message publicitaire pour le grand public : qualité des produits ; pour les grossistes et détaillants : qualité des produits, délais de livraison et service à la clientèle.

Refaire le catalogue.

Imprimer séparément la liste de prix et le catalogue.

Accroître la publicité coopérative avec Bureaupro et Jean Coutu.

Les stratégies de relations publiques

Limiter les commandites au soutien d'activités locales.

Inciter les cadres à être plus présents dans les associations nationales et internationales.

Le directeur de la production et le contremaître général devraient être membres de la chambre de commerce locale et du Club Lions.

Les stratégies de promotion des ventes

Revoir notre promotion « Retour en classe » pour mieux tenir compte des petits commerces.

Devons-nous conserver la promotion de Noël ou plutôt faire la promotion de la « Fêtes des couleurs » au cours de l'automne ?

Définir une politique simple et précise sur les remises.

Renforcer le carton pour la promotion « Retour en classe ».

Les stratégies de marketing direct

Faire au moins un envoi aux trois mois aux trente clients les plus importants (80 % de nos ventes).

Informer par téléphone tous les intermédiaires des principales promotions.

Offrir la formation au personnel en contact avec la clientèle pour assurer le professionnalisme lors des communications téléphoniques.

Voir si Bell peut aider.

Les stratégies de ventes

Jacques doit revoir le contrôle de l'agent des Maritimes.

Bruno évaluera les possibilités d'exportation.

Créer une trousse de présentation (échantillon, catalogue, etc.) pour les agents.

Le personnel en contact

Définir un programme de marketing interne.

S'assurer que le personnel en contact avec le client est toujours informé des nouvelles politiques et pratiques.

Inviter tout le personnel en contact avec le client à rapporter toute information d'intérêt sur les concurrents, les intermédiaires et les clients.

Organiser un cours pour mieux répondre au téléphone en français et en anglais.

Répondre au téléphone en moins de cinq secondes (ou au plus tard à la deuxième sonnerie).

Répondre au courrier au plus tard le lendemain.

Évaluer la nécessité de tenir compte du décalage horaire (téléphoniste de 7 h 30 pour les Maritimes à 20 h 00 pour la côte du Pacifique).

Exemple 7.3 Les stratégies du mix de marketing de Graphix

7.3 LE BUDGET DE MARKETING

Il vous faut évidemment déterminer un budget (voir figure 7.3). Tout au long de l'élaboration des stratégies, vous aurez estimé les dépenses de marketing pour réaliser les diverses activités nécessaires à la mise en œuvre de votre plan de marketing. Vous devrez réviser ce budget préliminaire lorsque vous aurez arrêté le choix de vos stratégies. Vous obtiendrez alors votre budget final. Il existe plusieurs façons de fixer un budget de marketing. La première manière est de fixer un ordre de grandeur du budget total en utilisant les données historiques (le montant dépensé l'an passé) ou le pourcentage des ventes. Cela donne une première approximation, qui comporte toutefois des failles. D'une part, il n'est pas certain que vous ayez fixé le bon budget l'an dernier, d'autant plus que les choses changent d'une année à l'autre. D'autre part, un budget basé sur le pourcentage des ventes diminuera lorsque celles-ci baisseront, alors qu'il faudrait peut-être, au contraire, l'accroître.

La méthode la plus souhaitable est la méthode dite des objectifs et tâches qui consiste à fixer les objectifs, à définir les tâches requises pour atteindre ces objectifs, puis à en estimer les coûts. (Par exemple, la participation à la foire de Francfort : 12 000 impressions du catalogue [25 000 $], envoi postal ciblé [4 fois x 5 000 $ = 20 000 $], etc.) On trouvera, à l'exemple 7.4, un exemple de budget semestriel et annuel de marketing. Il serait toutefois préférable d'avoir un budget mensuel.

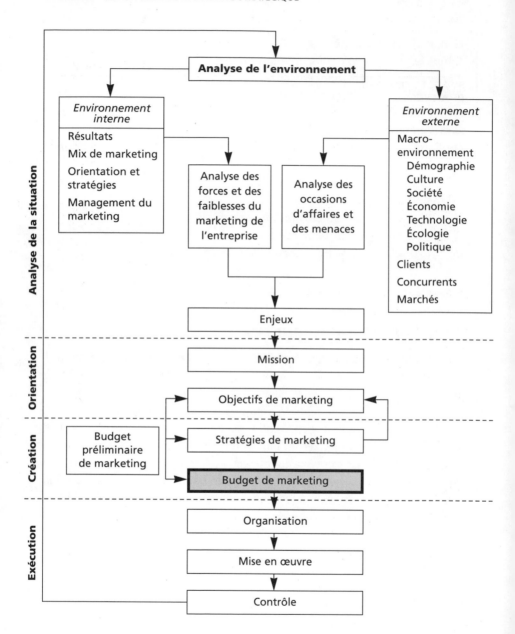

Figure 7.3 Le processus de la planification du marketing

BUDGET SEMESTRIEL ET ANNUEL DE MARKETING	Trimestre				
	I	II	III	IV	Total
	$	$	$	$	$
Frais d'administration					
Secrétariat	9 000 $	9 000 $	9 000 $	9 000 $	36 000 $
Téléphone	600 $	600 $	600 $	600 $	2 400 $
Courrier	400 $	400 $	400 $	400 $	1 600 $
Publicité					
Journaux	—	—	12 000 $	—	12 000 $
Catalogue	2 000 $	2 000 $	3 000 $	3 000 $	10 000 $
Brochures	—	—	3 000 $	3 000 $	6 000 $
Publipostages	1 000 $	1 000 $	1 000 $	1 000 $	4 000 $
Promotion					
Présentoirs	5 000 $	5 000 $	—	—	10 000 $
Exposition	6 000 $	—	—	—	6 000 $
Ventes					
Recrutement et information	1 500 $	1 500 $	500 $	500 $	4 000 $
Commissions	30 000 $	20 000 $	40 000 $	50 000 $	140 000 $
Dépenses de voyages	3 000 $	2 000 $	4 000 $	5 000 $	14 000 $
Personnel en contact					
Recrutement et formation	800 $	800 $	200 $	200 $	2 000 $
Service à la clientèle	10 000 $	10 000 $	14 000 $	10 000 $	44 000 $
Recherche en marketing	5 000 $	4 000 $	4 000 $	5 000 $	18 000 $
Total des dépenses de marketing (en dollars)	74 300 $	56 300 $	91 700 $	87 700 $	310 000 $

Exemple 7.4 Un budget de marketing

CONCLUSION

La rédaction du plan de marketing est maintenant fort avancée. Vous avez fait l'analyse de l'environnement interne et externe de votre entreprise, vous avez décidé de son orientation et choisi les stratégies et programmes qui vous permettront d'atteindre les objectifs fixés et d'assurer la survie de l'entreprise. Vous avez également fait votre budget. La dernière étape vous permet de passer à l'organisation du marketing, ainsi qu'à la mise en œuvre et au contrôle des activités de marketing.

Chapitre 8

L'exécution

Penser, c'est essentiel, mais en affaires ce n'est pas suffisant. Il faut agir. Ce chapitre vise à vous aider à convertir vos idées en activités de marketing. Planifier ses activités de marketing augmente les chances de réussite. Rédiger un plan permet de s'assurer que les meilleures stratégies fondamentales et le meilleur mix de marketing auront été choisis, et que ces stratégies se compléteront et s'intégreront de façon efficace. Nous avons déjà vu, au chapitre 2, tous les avantages que l'entreprise tirera à s'astreindre à cet exercice d'analyse et de création.

Dans le chapitre 8, nous traitons de l'exécution du plan de marketing, ce qui consiste en l'organisation, la mise en œuvre et le contrôle des activités de marketing (figure 8.1).

8.1 L'ORGANISATION

L'organisation du marketing est l'ensemble des moyens mis en place pour orchestrer le travail, le répartir et le coordonner de façon à ce que le plan puisse être concrétisé et les objectifs, atteints. Plus l'entreprise prend de l'expansion, plus l'organisation du marketing prend de l'importance. Sous l'optique du marketing, il y a deux sens à donner à l'organisation : la culture organisationnelle et la structure organisationnelle. La culture organisationnelle comprend les valeurs, les croyances et les symboles de l'entreprise, tandis que la structure organisationnelle fait référence à la division du travail et au regroupement des individus, des services ou des divisions. Les dimensions culturelle et organisationnelle de l'entreprise sont indissociables et complémentaires.

8.1.1 La culture organisationnelle

Du point de vue du marketing, la culture organisationnelle doit être empreinte d'une ouverture sur la clientèle. Elle comprend trois éléments :

1) Un ensemble de valeurs partagées ou de croyances dominantes qui définissent les priorités de l'organisation (entre autres, l'importance de la clientèle) ;

2) Un ensemble de normes de comportement (le respect des promesses aux clients ; la réaction à avoir devant un client insatisfait ou un client agressif, etc.) ;

3) Des symboles et des activités symboliques utilisés pour développer et entretenir les valeurs et les normes (par exemple, la mission de l'entreprise affichée dans les bureaux, des rencontres régulières sur la qualité des services, etc.).

Des valeurs partagées (ou les croyances dominantes) définissent ce qui est important pour l'entreprise, par exemple la qualité du produit ou du service, l'excellence du service à la clientèle, l'innovation et la primauté du client. En deuxième lieu, la culture doit être suffisamment forte pour établir des normes de comportement ou des règles informelles qui influent sur les décisions et sur les activités dans l'organisation. Ces normes sont conformes aux valeurs partagées. Ainsi, si l'on se donne comme valeur partagée l'excellence du service à la clientèle, des normes sur les délais de livraison seront définies. Et

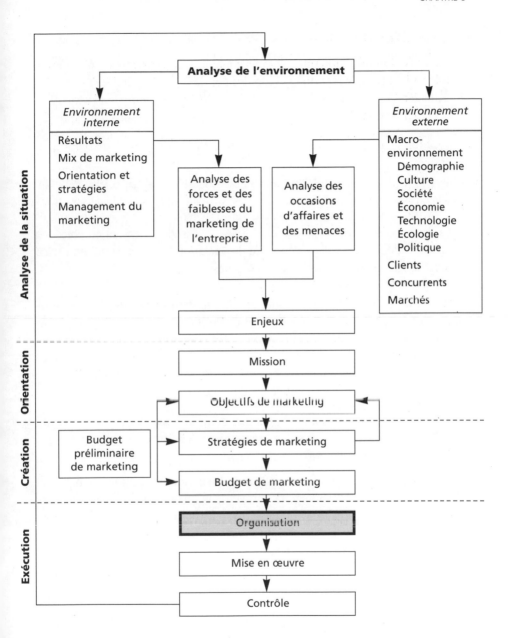

Figure 0.1 Le processus de la planification du marketing

ceux qui enfreindront ces normes seront mis au pas par leurs collègues de travail. Finalement, la culture sera développée et entretenue par des symboles et des activités symboliques, par exemple la présence de l'entrepreneur sur les lieux de travail, « l'adoption » d'un client par un employé, la visite de l'entreprise par les clients importants, le pique-nique annuel, le party de Noël, etc.

Outil fort important dans la mise en œuvre de stratégies de marketing, la culture est un élément de motivation. Elle fixe et encadre les normes et, en ce sens, elle est un soutien essentiel à la réalisation des stratégies. Une stratégie d'amélioration du service à la clientèle se réalisera difficilement si elle n'est pas favorisée par une culture orientée vers la clientèle à tous les niveaux et dans toutes les fonctions de l'entreprise. Il est donc essentiel pour les dirigeants d'entreprise de reconnaître les relations qui existent entre les stratégies, les valeurs partagées et les normes.

Les principes de base pour donner une orientation marketing à une entreprise sont simples. Il s'agit tout d'abord de vérifier par une analyse objective si l'entreprise a déjà une telle orientation. Un questionnaire du type proposé au test 2 du chapitre 1 peut aider à faire une telle analyse. Vous pouvez également faire votre propre audit marketing, tel que Kotler, Filiatrault et Turner[14] l'ont proposé. Pour ce faire, cinq volets doivent être considérés :

1) L'orientation marketing. Jusqu'à quel point la direction accorde-t-elle de l'importance aux besoins des clients lorsqu'elle prépare les plans et les activités de l'entreprise ?

2) L'intégration de la fonction marketing. Jusqu'à quel point les activités de marketing sont-elles intégrées entre elles et aux activités des autres fonctions de l'entreprise (par exemple, les téléphonistes, les responsables de la production, de la finance, du service à la clientèle, etc. doivent être informés du lancement d'une promotion ou d'une activité publique) ?

3) L'information marketing. Existe-t-il suffisamment d'information marketing de qualité pour bien gérer la fonction marketing ?

4) L'orientation stratégique. L'orientation stratégique permet-elle à l'entreprise d'atteindre ses objectifs, d'assurer sa croissance et sa rentabilité ?

---

14 Kotler, Philip, Filiatrault, Pierre et Ronald E. Turner, *Le management du marketing*, Gaëtan Morin éditeur, Boucherville, Québec, 1994, p. 1083-1092.

5) L'implantation. La mise en œuvre est-elle efficace, c'est-à-dire les résultats sont-ils atteints dans de courts délais aux plus bas coûts possible ?

Le but de ce questionnement est d'obtenir l'heure juste. L'entreprise évolue-t-elle suffisamment sous une optique marketing ? Si l'on ne reconnaît pas que les décisions doivent être prises en se plaçant du point de vue des clients, si l'on ne reconnaît pas que la clé pour atteindre les objectifs de l'entreprise consiste à connaître les besoins des marchés cibles et à assurer la satisfaction de la clientèle, on devra alors modifier la culture de l'entreprise.

Comment donner une orientation marketing à l'entreprise ? D'abord, il faut bien connaître la culture actuelle et comprendre les aspects organisationnels et culturels du changement (le style de management, le type de personnel et leurs compétences, les systèmes de gestion, la structure hiérarchique, l'orientation stratégique et les valeurs partagées). Il faut ensuite désigner un leader, « un champion » qui endossera l'optique marketing. Idéalement, le pdg devrait tenir cette fonction. Troisièmement, il faut définir les besoins de l'entreprise sur le plan de la formation et de l'information qui permettront d'instaurer une orientation marketing dans l'organisation. Quatrièmement, il faut élaborer un programme d'activités qui aideront à soutenir l'orientation marketing. Ce programme peut prendre la forme de rencontres, de visites ou de cours de courte durée ou d'ateliers, en entreprise ou à l'extérieur.

Donner une orientation marketing à une entreprise n'est pas une tâche facile et cela peut prendre quelques années avant de vraiment l'implanter.

Bien que la nature et l'à-propos des activités puissent varier d'une entreprise à l'autre, les activités suivantes sont généralement à considérer lorsqu'il est temps d'amorcer un virage marketing ou un virage clientèle :

1) La mise en place d'un groupe d'intervention marketing (*task force*, composé du pdg et de représentants commerciaux, du service à la clientèle, et de la production) ;

2) La désignation d'une personne responsable du marketing ;

3) L'engagement à long terme de ce « champion » dans le changement culturel souhaité ;

4) La mise sur pied de programmes de formation. Par exemple, apprendre à répondre au téléphone ;

5) L'utilisation, à l'occasion et à bon escient, des firmes de consultants ;

6) L'élaboration d'un système d'information marketing (beaucoup d'information peut être tirée du système comptable) ;

7) La préparation systématique d'un plan de marketing ;

8) Le soutien continu à l'effort de marketing, puisqu'il s'agit d'une tâche à long terme ;

9) La récompense des employés qui ont une « optique client ».

Développer une culture organisationnelle qui reconnaît l'importance de la satisfaction de la clientèle pour atteindre les objectifs de l'entreprise est essentiel pour concrétiser avec succès le plan de marketing. Un autre volet indispensable est la structure organisationnelle.

8.1.2 La structure organisationnelle

C'est la structure organisationnelle qui permet à l'entreprise d'atteindre ses objectifs de marketing. Il n'est pas possible de mettre en œuvre un plan de marketing et ses stratégies sans organisation structurelle. Celle-ci permet aux dirigeants d'assigner les responsabilités des tâches de marketing, de les coordonner, d'en assurer le suivi et de les contrôler. Les structures organisationnelles sont liées aux stratégies. On peut parler d'une séquence stratégies-structure-stratégies. Ainsi, le choix de certaines stratégies exigera un ajustement de la structure organisationnelle. Puis, la nouvelle structure rendra possible le choix de nouvelles stratégies, qui requerront des modifications à l'organisation, et ainsi de suite.

La structure organisationnelle du marketing touche toute position qui relève des activités de marketing, à savoir les ventes, le service à la clientèle et la création de nouveaux produits ou services. Cela implique plusieurs tâches telles que la collecte de l'information sur le marché, l'adaptation des produits ou services actuels et nouveaux aux changements du marché, la préparation du plan de marketing, la mise en œuvre des activités avec efficacité, le suivi, l'évaluation des résultats et de la satisfaction de la clientèle et la représentation des clients comme porte-parole ou ombudsman. Les structures qui peuvent être mises en place pour assurer ces fonctions sont les suivantes :

1) Les structures par fonction ;

2) Les structures par marché ;

3) Les structures par région ;

4) Les structures par produit ou service ;

5) La structure matricielle.

• La structure par fonction

La structure par fonction, la plus traditionnelle, se concentre sur les tâches de marketing, soit les ventes, le service à la clientèle, la publicité et la recherche. Structure simple et directe, elle peut être efficace. Elle est tout indiquée pour les petites entreprises ou celles plus grandes qui font affaire avec un nombre limité de marchés, de régions ou qui commercialisent un nombre limité de gammes de produits et de services. Le principal avantage de cette structure est qu'elle permet de définir précisément les rôles. Les deux principaux désavantages consistent dans la difficulté de coordonner ces rôles et, surtout, dans la nécessité d'avoir un volume d'activité suffisamment important pour créer tous les postes requis. Dans les PME, on règle souvent le problème en ayant une personne responsable pour les ventes et une autre pour les activités de marketing (catalogues, expositions, promotions, etc.).

• La structure par marché

Une deuxième forme d'organisation est la structure par marché. Un grand nombre d'entreprises vendent leurs produits et services à des marchés différents. La division des marchés dépend du type d'entreprise. Ainsi, nous avons, par exemple, le marché résidentiel, le marché commercial et le marché industriel ; ou l'industrie du meuble, l'industrie du plastique, etc ; ou le marché des consommateurs et le marché des institutions. Cette forme de structure est appropriée lorsqu'une entreprise doit répondre à des clients qui ont des besoins ou des caractéristiques fort différents exigeant des stratégies de marketing différentes. La structure par marché est évidemment conforme à l'optique marketing, son principal avantage étant sa capacité à s'adapter aux besoins du marché. Les principaux problèmes de cette structure ont trait à la coordination (surtout avec le personnel de soutien dans la recherche, la publicité, etc.) et à l'attribution des ressources marketing. Dans une petite entreprise, la même personne peut avoir à s'occuper de différents marchés, ce qui réduit les problèmes de coordination et d'attribution.

• La structure par région

Une troisième forme d'organisation est la structure par région ou territoire qui comporte certaines analogies avec la précédente ; la région se distingue toutefois surtout par ses caractéristiques géographiques, ce qui engendre une problématique différente. Cette structure est particulièrement indiquée lorsque l'on fait affaire avec des régions dont les différences sont significatives. Voici quelques exemples où l'on peut faire appel à l'organisation par région : dans le cas de régions du Canada (les Maritimes, l'Ontario, etc.), de régions du Québec (l'Outaouais, l'Abitibi-Témiscamingue, le Montréal métropolitain, les Laurentides, l'Estrie, le Québec métropolitain, la Beauce, le Saguenay–Lac-Saint-Jean, la Côte-Nord), ou encore du Québec, du reste du Canada, des États-Unis, du Mexique. L'avantage principal de cette structure est qu'elle permet de se préoccuper d'une région et de s'adapter à ses besoins ; les principaux désavantages sont les coûts plus élevés et, jusqu'à un certain point, les difficultés de coordination et d'intégration.

• La structure par produit ou par service

La quatrième structure est la structure par produit ou par service. Fort utilisée dans la grande entreprise, on en trouve quelquefois des applications dans les PME, où on l'emploie à l'occasion pour le lancement d'un produit ou d'un service. Le directeur ou le chef de produit ou de service est responsable de la mise au point du produit ou du service, ainsi que de la planification, de la mise en œuvre et du contrôle des activités du marketing du produit ou du service. Le principal avantage de cette structure est d'avoir un « champion » qui porte toute son attention à un produit ou à un service et qui assure la coordination de toutes les activités de marketing et de toutes les autres fonctions qui ont une influence sur le marketing du produit ou du service.

• La structure matricielle

Lorsqu'une entreprise prend de l'envergure, elle peut utiliser plusieurs de ces structures en même temps. On parle alors de structure matricielle.

L'organisation est la charnière entre la planification du marketing et sa mise en œuvre. Pour les dirigeants, cette dimension du management implique des décisions qui touchent à la fois la culture organisationnelle et la structure organisationnelle. Sans une optique ou une vision tournée vers la clientèle et une structure organisationnelle pour la soutenir, il est difficile de mettre en œuvre avec succès le plan de marketing.

8.2 LA MISE EN ŒUVRE

Comme nous l'avons déjà vu, les gens d'affaires sont des gens d'action. Ce qui les intéresse, c'est de mettre en œuvre le plan. La mise en œuvre comporte deux volets : les mécanismes et les outils de mise en œuvre (figure 8.2).

8.2.1 Les mécanismes de mise en œuvre

Les mécanismes de mise en œuvre des plans de marketing sont les activités de markcting, les programmes de marketing, les systèmes de marketing et les politiques de marketing. Les deux premiers mécanismes relèvent des opérations et les deux derniers, de la direction.

• Les activités de marketing

Les activités de marketing sont les tâches telles que la préparation d'un catalogue, la participation à une foire, une promotion de ventes destinée aux intermédiaires ou un concours pour les vendeurs. Éléments de base de la hiérarchie stratégique, les activités de marketing doivent être bien exécutées pour que les stratégies de marketing puissent réussir. Les principaux facteurs de succès des activités de marketing sont les suivants :

1) Des décisions qui résultent de données valides plutôt que de suppositions sur les comportements ;

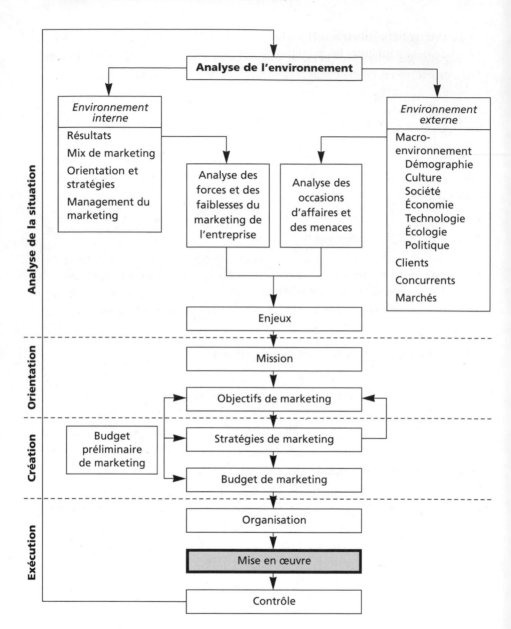

Figure 8.2 Le processus de la planification du marketing

2) Une grande cohérence entre les valeurs et les directives de la direction de même qu'entre les pratiques et les moyens donnés aux responsables d'activités ;

3) Un leadership fort ;

4) De bonnes pratiques de gestion de projet.

Les actions de marketing sont souvent très visibles et tangibles. La qualité de l'effort de marketing d'une entreprise est souvent jugée par l'attrait, l'efficacité et la bonne gestion des activités de marketing.

• Les programmes de marketing

Les activités de marketing sont des actions qui sont propres à la fonction marketing. Elles demandent un minimum de soutien d'autres fonctions de l'entreprise, et le plus souvent aucun soutien n'est nécessaire. Les programmes de marketing intègrent à la fois plusieurs, sinon tous les éléments du mix de marketing et des activités de marketing. Ils exigent aussi la participation à d'autres fonctions.

Grâce aux programmes de marketing, le marketing espère attirer l'attention sur l'offre de l'entreprise, ajouter une plus grande valeur à l'offre, accroître la différenciation et éventuellement mieux satisfaire les clients. Les programmes de marketing peuvent être centrés sur les produits ou les services (modifications, ajouts, etc.), sur les intermédiaires (réductions, ristournes, publicité coopérative) ou sur les clients (personnalisation, réductions).

Les principaux facteurs de succès des programmes de marketing sont nombreux :

1) Un choix de programmes cohérents avec la mission et les valeurs perçues de l'entreprise ;

2) Des promesses respectées (si l'entreprise promet plus qu'elle ne peut livrer, elle crée ainsi des attentes qui ne sauront être satisfaites, ce qui peut être très dommageable) ;

3) Une culture orientée vers la clientèle qui a su s'imposer dans toute l'entreprise ;

4) Un nombre adéquat et soutenu de programmes plutôt que la prolifération tous azimuts des programmes ;

5) Une bonne coordination et une bonne gestion de projet en général.

• Les systèmes de marketing

Les systèmes de marketing sont les mécanismes formels, ou relativement formels, mis en place pour informer et améliorer la prise de décision, de même que pour faciliter la gestion des activités et programmes et en assurer un meilleur contrôle. De façon générale, les systèmes de marketing servent à allouer des ressources ou encore à contrôler les activités. Parmi ces systèmes, on trouve, par exemple, l'organisation (qui sert tant à allouer les ressources qu'à surveiller les activités), le système de planification, le budget et le système d'information. Deux systèmes nécessitent une attention spéciale : le budget et le système d'information.

L'allocation des ressources implique la fixation du niveau des ressources allouées au marketing de même que l'attribution du niveau des ressources allouées aux différentes fonctions (publicité, promotion et recherche), aux activités et aux programmes de marketing. Les principales méthodes de détermination du budget ont déjà été présentées au chapitre 7.

Nous avons également vu en quoi consiste le système d'information marketing au chapitre 2. Ce dernier permet de fournir de l'information ou d'assurer le contrôle, et il peut être centré sur les activités internes ou externes de l'entreprise. Par exemple, les systèmes de commande ou d'approbation de crédit fournissent de l'information pour faciliter la gestion des opérations à l'interne ; d'autre part, le système de renseignements permet d'obtenir de l'information externe sur le macro-environnement et sur la concurrence. Le système d'information contribue aussi à fournir des renseignements qui permettent d'améliorer le contrôle sur la productivité, à l'interne, ou encore, à l'externe, sur la rentabilité des territoires. Le contrôle du marketing est un aspect important de ce système. Nous verrons plus en détail le contrôle du marketing dans la dernière partie de ce chapitre.

Les principaux facteurs de succès des systèmes sont :

1) L'information adéquate, utile à la prise de décision et donnée en temps et lieu ;

2) La capacité de remettre en question la routine ;

3) La non-politisation des systèmes (l'information doit servir l'entrepreneur et non desservir les intérêts personnels).

• Les politiques de marketing

Les politiques sont des directives qui dictent la façon de faire de l'entreprise. Le but des politiques est de définir des règles qui assurent des décisions cohérentes et compatibles avec les stratégies et les valeurs de l'entreprise. Les politiques prescrivent des comportements et facilitent les décisions. Elles permettent de traiter de façon routinière et uniforme des situations répétitives. Les exceptions à la règle doivent être clairement énoncées et les employés doivent avoir une marge de manœuvre raisonnable. Les politiques ne doivent pas devenir des carcans qui nuisent à la bonne marche des affaires.

Il existe trois ordres de politiques : les politiques d'opération, les politiques de direction et les politiques d'identité. Les politiques d'opération fixent des pratiques de mise en œuvre (les heures d'ouverture, le retour de marchandises, les paramètres de crédit). Les politiques de direction définissent d'une façon générale l'orientation de ce qui se fait en marketing ; cela concerne autant les orientations stratégiques que le style de leadership (qualité du leadership, pratiques de recrutement, politiques de rémunération). Finalement, les politiques d'identité ont trait à ce qu'est l'entreprise et à ce qu'elle fait dans une perspective de marketing ; on cherche à faire partager la compréhension de ce qu'est l'entreprise, de ce qu'est le marketing au sein de l'entreprise et la place du client dans l'entreprise.

Les principaux facteurs de succès des politiques sont :

1) L'adaptation des politiques aux changements du marché ;

2) La flexibilité tant dans la nature des politiques que dans leur application ;

3) La coordination dans l'application des politiques.

8.2.2 Les outils de mise en œuvre

Les outils de mise en œuvre peuvent être très raffinés, mais d'autres sont très simples. Parmi ces derniers, le graphique de Gantt est un outil opérationnel très utilisé (figure 8.3).

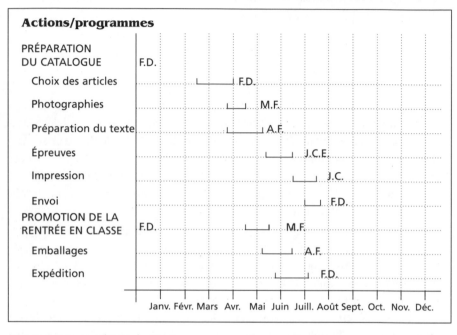

Figure 8.3 Le graphique de Gantt

On retrouve sur la verticale les activités et les programmes et sur l'horizontale le temps (semaines ou mois). La durée de chaque activité est représentée par un trait horizontal, le début et la fin de l'activité par un trait vertical. On peut tracer une ligne avec un crayon-feutre pour indiquer le temps réel de l'activité par rapport au temps planifié. Les initiales indiquent qui est responsable de l'activité ou d'un élément de l'activité.

Pour préparer un diagramme de Gantt, nous proposons une démarche en huit étapes.

Premièrement, déterminez les activités et les programmes qui feront l'objet de la planification et de la mise en œuvre (voir figure 8.3). Deuxièmement, définissez chaque tâche qui devra être accomplie pour assurer la réalisation de l'activité de marketing ou du programme marketing. Troisièmement, placez en ordre logique et chronologique chaque tâche. Quatrièmement, inscrivez sur le diagramme chaque tâche. Cinquièmement, estimez la durée de chaque activité. Sixièmement, fixez les dates du début et de la fin de chaque tâche en vous assurant, évidemment, que les tâches qui découlent les unes des autres ne se chevauchent pas (par exemple, l'envoi du catalogue ne peut être fait avant qu'il soit renvoyé par l'imprimeur). Par contre, d'autres tâches peuvent être conduites en parallèle, comme la photographie et la préparation des textes. Septièmement, assignez les responsabilités pour chaque tâche en inscrivant les initiales du responsable à la fin du trait qui désigne la tâche. La huitième et dernière étape consiste à faire le suivi des diverses démarches.

8.3 LE CONTRÔLE

Nous avons déjà introduit quelques notions à propos du contrôle au chapitre 2 et dans la section précédente qui traitait des systèmes. Le contrôle, comme nous l'avons déjà souligné, est fort important. Il est la partie du processus de management qui permet de s'assurer que les objectifs du plan seront ou ont été atteints. Dans une optique de marketing, le contrôle a lieu autant à l'interne (la rentabilité, par exemple) qu'à l'externe (la satisfaction de la clientèle, entre autres). Le contrôle ne sert pas uniquement à mesurer si les objectifs ont été atteints, il remplit aussi une fonction d'information, de façon à entreprendre des actions correctives qui permettront d'éviter les erreurs dans l'avenir ou de les corriger. Le contrôle sert à préparer, à surveiller, à diriger et à évaluer l'effort de marketing (figure 8.4). Le contrôle dépend de l'envergure du système d'information et de la qualité des données. Les trois principaux types de contrôle en marketing sont le contrôle stratégique, le contrôle marketing de la productivité et celui des activités et programmes.

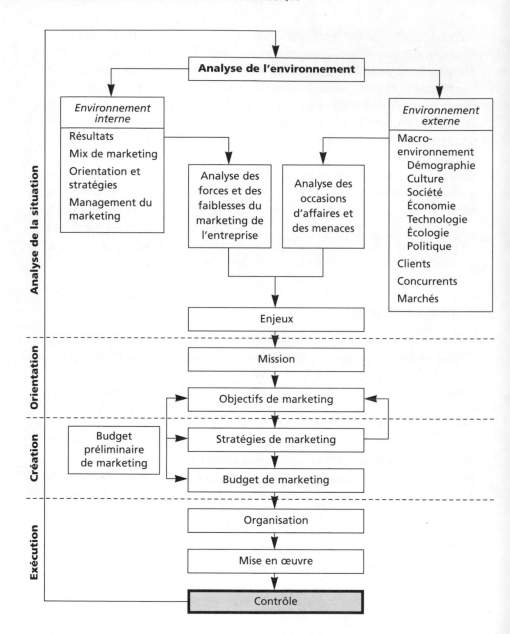

Figure 8.4 Le processus de la planification du marketing

8.3.1 Le contrôle stratégique

Le contrôle stratégique, aussi appelé audit marketing, est une revue critique de l'efficacité du marketing de l'entreprise. Il consiste en un examen complet et critique de l'environnement, des objectifs, des stratégies et des actions et programmes de marketing en vue de détecter les faiblesses, y apporter les actions correctives nécessaires et, ainsi, améliorer l'efficacité du marketing. Le questionnaire du test 2 du chapitre 1 est un exemple abrégé du questionnement qui doit être fait. On cherchera à examiner des éléments fondamentaux tels que le macro-environnement, les stratégies, le mode d'organisation, les systèmes et procédures, la productivité et les fonctions.

8.3.2 Le contrôle marketing de la productivité

Le contrôle marketing de la productivité correspond sans doute à la vision traditionnelle du contrôle. On se préoccupe de la performance et de la rentabilité. La performance se mesure à partir d'indices de résultats opérationnels, comme le nombre de nouveaux clients et de renouvellements de contrats, et d'indices de la satisfaction de la clientèle ; la mesure de la perception par les clients de la qualité et la mesure de la satisfaction de la clientèle sont particulièrement importantes. La rentabilité se mesure à partir des profits, de contribution aux profits, de marge brute ou de marge nette. Comme nous l'avons vu plus tôt, ces contrôles peuvent être effectues par rapport aux clients, aux produits ou services, ou aux marchés.

8.3.3 Le contrôle des activités et des programmes

Le troisième volet du contrôle a une orientation opérationnelle : il assure la mise en œuvre des activités et des programmes de marketing. Le contrôle des activités et des programmes de marketing s'insère dans la réalisation du plan de marketing annuel. Le responsable du marketing doit s'assurer du bon déroulement et de la coordination de toutes les activités et du respect des échéances. Un outil tel que le diagramme de Gantt permet à la fois une meilleure planification et un meilleur contrôle.

CONCLUSION

Nous avons vu dans ce chapitre les éléments de l'exécution d'un plan de marketing, soit l'organisation, la mise en œuvre et le contrôle du marketing. L'organisation du marketing comporte deux aspects : la culture organisationnelle et la structure organisationnelle. La culture organisationnelle comprend les valeurs partagées, les normes, les symboles et les activités symboliques. La structure organisationnelle permet d'assigner les responsabilités des tâches de marketing et de les coordonner. Les principales structures sont les structures par fonction, par marché, par région, par produit et service et la structure matricielle.

Nous avons vu ensuite en quoi consistent les principaux mécanismes et outils de mise en œuvre. Les principaux mécanismes de mise en œuvre sont les activités de marketing, les programmes de marketing, les systèmes de marketing et les politiques de marketing. Un outil fort pratique de mise en œuvre est le graphique de Gantt et une démarche en huit étapes a été proposée. Finalement, nous nous sommes penchés sur le contrôle du marketing, une partie importante du processus de management qui vise à s'assurer que les objectifs sont atteints. Les trois principaux types de contrôle en marketing sont le contrôle stratégique, le « contrôle marketing » de la productivité et le contrôle des activités et programmes.

Conclusion

Le marketing consiste à gérer les échanges entre l'entreprise et ses clients. C'est une philosophie de gestion, une fonction, une démarche et un ensemble de techniques de management. Il joue un rôle essentiel dans le succès des entreprises de toutes tailles. En raison de l'importance de cette fonction dans les entreprises, il est nécessaire de planifier les efforts de marketing.

Il existe de nombreux avantages à bâtir un plan de marketing. Un plan aide à mieux comprendre l'environnement, à faire le point sur l'entreprise, à mieux cibler et coordonner les efforts de marketing. Il donne une direction générale, permet de développer des stratégies de marketing plus efficaces et de mieux contrôler les activités de marketing. Il augmente les chances de succès.

Le processus de la planification du marketing est composé de quatre grandes étapes : l'analyse, l'orientation, la création et l'exécution. La première étape consiste à faire l'analyse de l'environnement interne et de l'environnement externe de l'entreprise. L'analyse interne comprend quatre composantes : les analyses des résultats, du mix de marketing, de l'orientation et des stratégies ainsi que du management de marketing. L'analyse externe traite du macro-environnement, des clients, des concurrents et des marchés. L'analyse interne permet de connaître les forces et les faiblesses de l'entreprise ; l'analyse externe, les occasions d'affaires et les menaces. Il est alors possible de cerner les enjeux et de choisir les marchés cibles.

Cette première partie de la démarche de la préparation d'un plan de marketing est sans doute la plus difficile. Elle nécessite de votre part de l'objectivité, de la persévérance et un effort certain. La tentation est forte de passer rapidement ou de l'ignorer. C'est là une grave erreur. Il est impossible de choisir judicieusement les orientations et stratégies si ce travail de moine n'a pas été fait, et bien fait. La deuxième partie consiste en l'orientation à donner à l'entreprise. Cette décision est lourde de conséquences. Vous devez définir la raison d'être de votre entreprise, ce qui influence la détermination des objectifs de marketing qui, eux, donnent l'orientation à court et à moyen terme. La troisième partie, la création, consiste à concevoir une approche stratégique gagnante. Il y a deux types de stratégies de marketing. Les stratégies fondamentales donnent la direction générale que l'entreprise souhaite se donner afin d'atteindre ses objectifs et de respecter sa mission. Nous trouvons trois groupes de stratégies fondamentales : les stratégies de l'offre, de la demande et de la concurrence. Ces choix doivent être fixés avant de déterminer les stratégies du mix de marketing. Le mix de marketing est composé de cinq variables contrôlables par l'entreprise, les 5 P : le produit ou service, le prix, la place (la distribution), la promotion (la communication qui comprend la publicité, les relations publiques, la promotion des ventes, le marketing direct et la vente) et le personnel en contact avec les clients.

La dernière partie est l'exécution, composée de l'organisation, de la mise en œuvre et du contrôle des activités de marketing. Les premières étapes, quoique essentielles, sont plutôt cérébrales. Cependant, en affaires, il faut penser et agir. Rédiger un plan aide à tracer une voie structurée, mais ce n'est pas suffisant. Il faut passer à l'action. La réalisation du plan de marketing passe par l'organisation des activités de marketing ; le terme organisation a deux sens : la culture organisationnelle et la structure organisationnelle. Il faut ensuite mettre en œuvre le plan. Les mécanismes de mise en œuvre sont les activités, les programmes, les systèmes et les politiques de marketing. Finalement, il faut s'assurer que les objectifs de marketing ont été atteints grâce au contrôle. Nous connaissons trois types de contrôle. Le contrôle stratégique consiste à faire un examen systémique et critique de l'efficacité globale du marketing. C'est une remise en question de toute la fonction marketing. Le deuxième type est le contrôle marketing de la productivité : le contrôle de la performance et de la rentabilité correspond à la vision traditionnelle du contrôle. En dernier lieu, nous trouvons le contrôle des activités et des programmes, qui peut se faire avec différents outils, dont le diagramme de Gantt.

Et voilà, vous avez en main tous les outils.

C'EST MAINTENANT À VOUS DE JOUER !

BON SUCCÈS !

COLLECTION ENTREPRENDRE

Devenez entrepreneur 2.0 (version sur cédérom)
Plan d'affaires   69,95 $
Alain Samson, en collaboration avec Paul Dell'Aniello   1997

Devenez entrepreneur 2.0 (version sur disquettes)
Plan d'affaires   39,95 $
Alain Samson   4 disquettes, 1997

Profession : travailleur autonome   24,95 $
Sylvie Laferté et Gilles Saint-Pierre   272 pages, 1997

Réaliser son projet d'entreprise   27,95 $
Louis Jacques Filion et ses collaborateurs   268 pages, 1997

Des marchés à conquérir
Guatemala, Salvador, Costa Rica et Panama   44,95 $
Pierre-R. Turcotte   360 pages, 1997

La gestion participative
Mobilisez vos employés !   24,95 $
Gérard Perron   212 pages, 1997

Comment rédiger son plan d'affaires
À l'aide d'un exemple de projet d'entreprise   24,95 $
André Belley, Louis Dussault, Sylvie Laferté   276 pages, 1996

J'ouvre mon commerce de détail
24 activités destinées à mettre toutes les chances de votre côté   29,95 $
Alain Samson   240 pages, 1996

Communiquez ! Négociez ! Vendez !
Votre succès en dépend   24,95 $
Alain Samson   276 pages, 1996

La PME dans tous ses états
Gérer les crises de l'entreprise   21,95 $
Monique Dubuc et Pierre Levasseur   156 pages, 1996

La gestion par consentement
Une nouvelle façon de partager le pouvoir   21,95 $
Gilles Charest   176 pages, 1996

La formation en entreprise
Un gage de performance   21,95 $
André Chamberland   132 pages, 1995

Profession : vendeur
Vendez plus... et mieux !   19,95 $
Jacques Lalande   140 pages, 1995

Virage local
Des initiatives pour relever le défi de l'emploi   24,95 $
Anne Fortin et Paul Prévost   275 pages, 1995

Des occasions d'affaires
101 idées pour entreprendre
Jean-Pierre Bégin et Danielle L'Heureux

19,95 $
184 pages, 1995

Comment gérer son fonds de roulement
Pour maximiser sa rentabilité
Régis Fortin

24,95 $
186 pages, 1995

Naviguer en affaires
La stratégie qui vous mènera à bon port !
Jacques P.M. Vallerand et Philip L. Grenon

24,95 $
208 pages, 1995

Des marchés à conquérir
Chine, Hong Kong, Taiwan et Singapour
Pierre R. Turcotte

29,95 $
300 pages, 1995

De l'idée à l'entreprise
La République du thé
Mel Ziegler, Patricia Ziegler et Bill Rosenzweig

29,95 $
364 pages, 1995

Entreprendre par le jeu
Un laboratoire pour l'entrepreneur en herbe
Pierre Corbeil

19,95 $
160 pages, 1995

Donnez du PEP à vos réunions
Pour une équipe performante
Rémy Gagné et Jean-Louis Langevin

19,95 $
128 pages, 1995

Marketing gagnant
Pour petit budget
Marc Chiasson

24,95 $
192 pages, 1995

Faites sonner la caisse !!!
Trucs et techniques pour la vente au détail
Alain Samson

24,95 $
216 pages, 1995

En affaires à la maison
Le patron, c'est vous !
Yvan Dubuc et Brigitte Van Coillie-Tremblay

26,95 $
344 pages, 1994

Le marketing et la PME
L'option gagnante
Serge Carrier

29,95 $
346 pages, 1994

Développement économique
Clé de l'autonomie locale
Sous la direction de Marc-Urbain Proulx

29,95 $
368 pages, 1994

Votre PME et le droit (2ᵉ édition)
Enr. ou inc., raison sociale, marque de commerce
et le nouveau Code Civil
Michel A. Solis

19,95 $
136 pages, 1994

Mettre de l'ordre dans l'entreprise familiale
La relation famille et entreprise
Yvon G. Perreault

19,95 $
128 pages, 1994

Pour des PME de classe mondiale
Recours à de nouvelles technologies
Sous la direction de Pierre-André Julien

29,95 $
256 pages, 1994

Famille en affaires
Pour en finir avec les chicanes
Alain Samson en collaboration avec Paul Dell'Aniello

24,95 $
192 pages, 1994

Profession : entrepreneur
Avez-vous le profil de l'emploi ?
Yvon Gasse et Aline D'Amours

19,95 $
140 pages, 1993

Entrepreneurship et développement local
Quand la population se prend en main
Paul Prévost

24,95 $
200 pages, 1993

Comment trouver son idée d'entreprise (2ᵉ édition)
Découvrez les bons filons
Sylvie Laferté

19,95 $
159 pages, 1993

L'entreprise familiale (2ᵉ édition)
La relève, ça se prépare !
Yvon G. Perreault

24,95 $
292 pages, 1993

Le crédit en entreprise
Pour une gestion efficace et dynamique
Pierre A. Douville

19,95 $
140 pages, 1993

La passion du client
Viser l'excellence du service
Yvan Dubuc

24,95 $
210 pages, 1993

Entrepreneurship technologique
21 cas de PME à succès
Roger A. Blais et Jean-MarieToulouse

29,95 $
416 pages, 1992

Devenez entrepreneur (2ᵉ édition)
Pour un Québec plus entrepreneurial
Paul-A. Fortin

27,95 $
360 pages, 1992

Les secrets de la croissance
4 défis pour l'entrepreneur
Sous la direction de Marcel Lafrance

19,95 $
272 pages, 1991

Correspondance d'affaires
Règles d'usage françaises et anglaises et 85 lettres modèles
Brigitte Van Coillie-Tremblay, Micheline Bartlett
et Diane Forgues-Michaud

24,95 $
268 pages, 1991

Relancer son entreprise
Changer sans tout casser
Brigitte Van Coillie-Tremblay

24,95 $
162 pages, 1991

Autodiagnostic
L'outil de vérification de votre gestion
Pierre Levasseur, Corinne Bruley et Jean Picard

16,95 $
146 pages, 1991

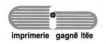

imprimerie gagné ltée

IMPRIMÉ AU CANADA

ROSEMONT

Ville de Montréal   **Feuillet de circulation**

À rendre le 2 7 FEV. 2004

Z 20 MAI '98	1 6 NOV. 1999	
Z 1 6 JUIN '98	0 DEC. 1999	0 6 AVR. 2004
Z 1 7 JUIL '98	1 3 MAI 2000	0 5 NOV. 2004
Z 1 0 AOU '98	2 1 JUIN 2000	2 6 JAN. 2005
Z 03 SEP '98	2 1 JUIL. 2000	
7 30 SEP '98		2 4 FEV. 2005
Z 31 OCT '98	- 8 MAR. 2001	
	1 1 SEP	0 8 AOU '05
Z 01 DEC '98	2 8 NOV. 01	
Z 05 JAN '99	- 9 FEV. 02	
Z 20 JAN '99	2 6 MAR. 02	
0 2 MAR. 1999	0 SEP '02	
2 2 AVR. 1999	2 8 NOV. 02	
7 JUIL. 1999		
0 4 AOUT 1999	2 4 JAN. 03	
2 8 SEP. 1999	1 0 JAN. 2004	

06.03.375-8 (05-93)

29/Avre